세종
한국

익힘책

4B

문화체육관광부
국립국어원

발간사

최근 전 세계인이 접하는 한류 콘텐츠의 규모가 늘어나면서 한류 문화가 확산되고 있고, 그 결과로 한국어를 배우고자 하는 외국인 학습자의 기세가 매우 놀랍습니다. 세계 곳곳이 코로나19로 침체기를 겪던 2021년에도 한국어능력시험 응시자는 30만 명을 훌쩍 넘었으며, 문화체육관광부의 세종학당은 2007년 13곳에서 2022년에는 84개국 244개소로 증가하였습니다. 이러한 한류의 지속적인 확산을 뒷받침하기 위해서는 한국어교육의 탄탄한 지원이 필요합니다.

한류 콘텐츠와 함께 성장하는 한국어교육의 토대를 다지기 위해, 문화체육관광부와 국립국어원은 2011년 처음 발간된 《세종한국어》를 새로 다듬기로 하였습니다. 2019년부터 기초 연구를 시작한 교재 개정 작업은 3년의 시간을 들여, 2022년 드디어 새로운 《세종한국어》를 펴내게 되었고, 이를 세종학당재단과 함께 알리게 되었습니다.

새롭게 개정된 《세종한국어》는 첫째, 세종학당 곳곳에서 한국어를 배우고자 하는 열의로 가득 찬 외국인 학습자 중심의 교재를 지향하였습니다. 둘째, 현지 세종학당의 학습 환경에 따라 유연하게 활용할 수 있는 맞춤형 교재로 정비되었습니다. 셋째, 한류 콘텐츠에 대한 외국인들의 관심을 내용에 반영함으로써, 한국어 공부에 대한 학습자의 부담을 낮췄습니다. 마지막으로 세종학당을 대표하는 표준 교재로서 구심점 역할을 담당하고, 이후의 한국어 학습을 위한 연계성도 잘 갖추었습니다.

세종학당은 한국어와 한국 문화로 한국과 세계를 연결하는 대한민국 대표의 국외 한국어교육 기관입니다. 국립국어원과 문화체육관광부는 앞으로도 세종학당재단과 협력하여 전 세계에서 한국어를 사랑하는 이들이 꿈을 이룰 수 있도록 지속적인 노력과 지원을 아끼지 않겠습니다.

끝으로 교재 개발을 위해 최선의 노력을 기울여 주신 연구·집필진과 출판사 관계자분들께 진심으로 감사의 말씀을 드립니다. 《세종한국어》의 새로운 출발과 함께 문화체육관광부와 국립국어원, 세종학당재단이 세계로 더 나아갈 수 있도록 여러분의 따뜻한 관심 부탁드립니다.

2022년 8월
국립국어원장 장소원

머리말

　　세종학당은 한국과 전 세계를 연결하는 한국어·한국 문화 보급 기관입니다. 이번에 개발한 교재는 상호 문화주의에 기반하여 한국어 학습에 대한 학습자의 흥미를 증진함으로써 한국어 의사소통 능력을 향상시키는 것을 목표로 하였습니다. 이를 위해 최근 한국의 상황을 적극적으로 반영하였고 최신 교수법을 구현할 수 있는 새로운 구성과 디자인을 적용하였습니다. 이를 통해 국외 한국어교육의 방향성을 새롭게 제시하고자 하였습니다. 개정《세종한국어》의 구체적 특징은 다음과 같습니다.

　　첫째, 세종학당의 표준 교육과정인 가형, 나형, 다형 전 과정에 탄력적으로 활용할 수 있도록 '기본 교재'와 '더하기 활동 교재'로 구분하였습니다. '기본 교재'에는 해당 등급에 필요한 핵심적인 내용을 담았으며, '더하기 활동 교재'에는 심화·확장이 필요한 언어 지식과 의사소통 활동을 담았습니다. 이를 통해 다양한 학습자 특성에 맞게 교재를 선택하여 사용할 수 있도록 하였습니다.

　　둘째, 효과적 교수·학습을 위해 단계별로 단원 구성을 차별화하였으며 학습 내용 또한 언어 발달 단계에 맞는 교수 학습 내용과 절차를 적용하였습니다. 특히 다양한 삽화와 시각적 자료를 적극적으로 제시하여 한국어 학습의 흥미를 극대화할 수 있도록 노력하였습니다.

　　셋째, 교재 전반에 생생한 한국 문화 내용을 배치하여 학습자들이 상호 문화적 관점에서 한국 문화를 이해하고, 궁극적으로는 자국의 문화와 한국 문화에 대한 바른 태도를 형성할 수 있도록 하였습니다.

　　넷째, 교재와 함께 '익힘책', '교사용 지도서', '어휘·표현과 문법', 수업용 PPT와 같은 보조 자료들을 개발하여 교사·학습자의 요구에 맞게 교재를 활용할 수 있도록 하였습니다.

　　이 교재를 기획하고 개발하는 모든 과정에 함께해 주신 국립국어원과 현지 학당과의 협조와 지원을 아끼지 않으신 세종학당재단, 그리고 학습자들이 재미있게 한국어를 배울 수 있도록 멋지게 디자인해 주신 공앤박출판사에 감사의 마음을 전하고 싶습니다. 끝으로 3년이라는 긴 시간 동안 오로지 한국어교육에 대한 열정으로 좋은 교재를 만들어 내기 위해 애써 주신 모든 집필진께 말로는 다할 수 없는 깊은 감사의 마음을 전합니다.

2022년 8월
저자 대표 이정희

차례

1. 다음과 같이 빈칸을 채워 보십시오.

		-는/(으)ㄴ 데다가
1)	항상 노력하다	항상 노력하는 데다가
2)	활기가 넘치다	
3)	볼거리가 많다	
4)	분위기가 색다르다	
5)	많은 유적지가 있다	
6)	고양이가 계속 울다	
7)	커피를 많이 마셨다	

2. 다음과 같이 문장을 바꿔 보십시오.

1) 내 친구는 항상 친절해요. 거기에다가 남을 잘 배려해서 인기가 많은 편이에요.

　→ 내 친구는 항상 친절한 데다가 남을 잘 배려해서 인기가 많은 편이에요.

2) 그 식당은 분위기가 좋아요. 거기에다가 가격도 저렴해서 자주 가는 편이에요.

　→ ....

3) 지금 다니는 회사는 집에서 너무 멀어요. 거기에다가 월급도 적어요.

　→ ....

4) 이번 달에 노트북을 새로 샀어요. 거기에다가 휴대폰도 새로 샀어요.

　→ ....

5) 어제 배가 너무 아팠어요. 거기에다가 머리가 너무 어지러워서 병원에 갔어요.

　→ ....

3. '-는/(으)ㄴ 데다가'를 사용해서 문장을 만들어 보십시오.

1) 명동, 맛있는 것이 많다, 구경할 곳도 많다　→ ....

2) 내 친구, 매일 아침에 수영을 하다, 매일 저녁 영어까지 배우다

　→ ....

3) 제주도, 바다가 아름답다, 경치도 좋다　→ ....

4) 나와 친구, 같은 동네에서 자랐다, 학교도 함께 다녔다

　→ ....

1. 다음과 같이 문장을 바꿔 보십시오.

> 지하철을 타도 돼요. 버스를 타도 돼요. 다 괜찮아요.
> → 지하철을 타든지 버스를 타든지 다 괜찮아요.

1) 토요일에 만나도 돼요. 일요일에 만나도 돼요. 다 괜찮아요.

→ _____ 다 괜찮아요.

2) 여기로 가도 돼요. 저기로 가도 돼요. 상관없어요.

→ _____ 상관없어요.

3) 여기에 돼지고기를 넣어도 돼요. 닭고기를 넣어도 돼요. 다 좋아요.

→ _____ 다 좋아요.

4) 도서관에서 공부해도 돼요. 집에서 쉬어도 돼요. 상관없어요.

→ _____ 상관없어요.

5) 서류를 직접 방문해서 제출해도 돼요. 인터넷으로 제출해도 돼요. 다 괜찮아요.

→ _____ 다 괜찮아요.

2. '-든지'를 사용해서 문장을 만들어 보십시오.

1) 이번 주 주말, 어디, 가다, 다 좋다

→ _____ .

2) 마음, 지치다, 어디, 여행, 가다

→ _____ .

3) 성격, 급하다, 무슨 일, 하다, 실수, 많이 하다

→ _____ .

4) 책을 읽다, 일기를 쓰다, 나만의 시간, 갖다, 중요하다

→ _____ .

성격 1

1. 다음에서 알맞은 말을 골라 쓰십시오.

자신감이 있다	성실하다	소극적이다	외향적이다	책임감이 없다

1) [   ] : 뭔가를 하려는 의지가 별로 없고 활동적이지 않다.

2) [   ] : 자신의 생각이나 마음을 다른 사람들에게 잘 드러내다.

3) [   ] : 어떤 일을 스스로 잘 해낼 수 있다고 믿는 마음을 가지고 있다.

4) [   ] : 맡은 일이나 해야 하는 일을 중요하게 생각하는 마음이 없다.

5) [   ] : 맡은 일을 언제나 열심히 하고 거짓 없이 행동하다.

---

2. 다음에서 알맞은 말을 골라 글을 완성하십시오.

적극적이다	내성적이다	급하다	느긋하다	유머 감각이 있다

　　나와 동생은 성격이 정말 다르다. 동생은 사람들을 만나는 것을 좋아하고 무슨 일이든지 먼저 나서는

1) ＿＿＿＿＿＿＿＿＿ 성격이다. 그리고 2) ＿＿＿＿＿＿＿＿＿ 동생이 말을 하면

모든 사람들이 즐거워한다. 반면에 나는 혼자 집에 있는 것을 좋아하는 3) ＿＿＿＿＿＿＿＿＿

성격이다. 또한 동생은 성격이 4) ＿＿＿＿＿＿＿＿＿ 편이라서 무슨 일이든지 빨리 하려고 하는데

나는 성격이 5) ＿＿＿＿＿＿＿＿＿ 편이라서 무슨 일이든지 천천히 여유를 가지고 하는 것을

좋아한다. 이렇게 너무 다른 우리는 어릴 때는 많이 싸웠지만 지금은 서로를 이해하면서 둘도 없는 친구

처럼 지내고 있다.

1. 다음을 잘 듣고 남자와 여자의 이상형은 어떤 사람인지 써 보십시오. 🔊 01

남자의 이상형: ....

여자의 이상형: ....

2. 다시 한번 들으면서 빈칸에 알맞은 말을 써 보십시오. 🔊 02

안나 : 민호 씨의 1) .... ?

민호 : 음. 저는 재미있는 사람이 좋아요. 2) ....

안나 : 그럼 그런 사람을 만난 적이 있어요?

민호 : 그럼요. 지금 제 여자 친구가 그런 사람이에요. 여자 친구는 3) ....

....

같이 있으면 즐거워요. 안나 씨는요?

안나 : 4) ....

자기가 맡은 일이라면 5) ....

민호 : 그럼 안나 씨도 이상형을 만난 적이 있어요?

안나 : 저는 아직까지는 제 이상형을 만나지 못했어요. 언젠가는 그런 사람을 만날 수 있겠지요.

3. 대화를 듣고 따라 해 보십시오. 🔊 03

1) 위의 대화를 보면서 듣고 따라 해 보십시오.

2) 위의 대화를 보지 않고 들으면서 따라 해 보십시오.

4. 발음과 억양에 유의해서 다음 문장을 듣고 따라 해 보십시오. 🔊 04

여자 친구는 / 유머 감각도 있는 데다가 / 외향적이고 적극적이라서 / 같이 있으면 즐거워요.

1. 다음 글을 읽고 질문에 답하십시오.

> 나에게는 두 명의 친구가 있다. 한 명은 안나이고, 다른 한 명은 수지이다. 그 두 사람은 성격이 정반대이다.
>
> 안나는 성격이 활발하고 아주 외향적이다. 안나는 사람을 만나는 것을 좋아하고 뭐든지 다른 사람들과 함께 하는 것을 좋아한다. 내가 다른 사람들과의 관계에 대해서 문제가 생겼을 때 안나에게 그 문제를 이야기하면 잘 이해해 줄 뿐만 아니라 좋은 해결 방법을 알려 주기도 한다. 수지는 말이 없고 내성적인 편이다. 수지는 생각이 아주 깊고, ㉠_____. 그래서 안 좋은 일이 있을 때 수지와 만나면 나를 잘 이해해 줘서 고민이 사라지고 마음이 편안해진다.
>
> 두 사람은 모두 나에게 소중하다. 나는 이 두 사람이 있어서 정말 행복하다.

1) 윗글의 내용과 <u>다른</u> 것을 고르십시오.

① 수지는 내성적인 편이다.
② 안나는 활발하고 외향적이다.
③ 안나와 수지는 나와 성격이 정반대이다.
④ 안나와 수지는 모두 나의 소중한 친구이다.

2) ㉠에 들어갈 알맞은 말을 고르십시오.

① 밖에서 하는 활동을 많이 한다
② 흥미로운 이야기를 많이 해 준다
③ 다른 사람의 고민을 잘 들어준다
④ 사람들과 함께 하는 것을 좋아한다

2. 중요한 내용에 표시하면서 다시 한번 읽어 보십시오.

① 앞에서 읽은 글의 내용을 떠올려 보십시오. 읽은 내용을 간단히 정리해 보십시오.

_____

_____

_____

_____

_____

_____

_____

② 다음의 핵심어를 참고하여 빈칸에 알맞은 문장을 써서 글을 완성해 보십시오.

나에게는 두 명의 친구가 있다. 한 명은 안나이고, 다른 한 명은 수지이다. 그 두 사람은 1) _____. (성격, 정반대) 안나는 성격이 활발하고 아주 외향적이다. 안나는 사람을 만나는 것을 좋아하고 뭐든지 2) _____ . (다른 사람, 함께) 내가 다른 사람들과의 관계에 대해서 문제가 생겼을 때 안나에게 그 문제를 이야기하면 3) _____ . (이해, 해결 방법, 알려 주다) 수지는 말이 없고 내성적인 편이다. 수지는 생각이 아주 깊고, 4) _____ . (다른 사람, 고민, 들어주다) 그래서 안 좋은 일이 있을 때 수지와 만나면 나를 잘 이해해 줘서 5) _____ . (고민, 사라지다, 마음, 편안해지다) 두 사람은 모두 나에게 소중하다. 나는 이 두 사람이 있어서 정말 행복하다.

처음 만났을 때는 얌전한
성격인 줄 알았거든

-는/(으)ㄴ/(으)ㄹ 줄 알다

1. 다음과 같이 빈칸을 채워 보십시오.

		-는/(으)ㄴ/(으)ㄹ 줄 알다
1)	부끄러움을 타다	부끄러움을 타는 줄 알았다
2)	매운 음식을 잘 먹다	
3)	여행지로 유명하다	
4)	반전이 숨어 있다	
5)	한국 생활이 쉽다	
6)	지갑을 잃어버렸다	
7)	두 사람이 헤어질 것이다	

2. 다음과 같이 문장을 바꿔 보십시오.

친구가 고향에 돌아간다고 생각했어요. 그런데 계속 한국에 있어요.
→ 친구가 고향에 돌아가는 줄 알았어요.

1) 오늘 일이 많아서 야근할 것이라고 생각했어요. 그런데 일찍 퇴근했어요.

→ ....

2) 처음에는 우리 선생님이 무섭다고 생각했어요. 그런데 너무 친절해요.

→ ....

3) 밖에 바람이 많이 분다고 생각했어요. 그런데 그렇지 않아요.

→ ....

4) 냄새가 좋지 않아서 맛이 없을 거라고 생각했어요. 그런데 맛있어요.

→ ....

3. '-는/(으)ㄴ 줄 모르다'를 사용해서 문장을 바꿔 보십시오.

1) 그 친구하고 친해지지 않을 거라고 생각했어요. 그런데 친해졌어요.

→ ....

2) 대학교 캠퍼스가 크지 않을 거라고 생각했어요. 그런데 캠퍼스가 엄청 커요.

→ ....

3) 안나가 한국어를 못한다고 생각했어요. 그런데 잘해요.

→ ....

4) 지우 씨가 무섭다고 생각했어요. 그런데 따뜻한 사람이에요.

→ ....

1. 다음과 같이 문장을 바꿔 보십시오.

이 식당은 제가 고등학교 때 자주 왔어요.
→ 이 식당은 제가 고등학교 때 자주 오던 식당이에요.

1) 이 집은 제가 처음 한국에 왔을 때 살았어요.

→ 이 집은 .... 집이에요.

2) 이 옷은 제가 작년에 거의 매일 입었어요.

→ 이 옷은 .... 옷이에요.

3) 이 책은 제가 항상 힘들 때마다 읽었어요.

→ 이 책은 .... 책이에요.

4) 이 음식은 어릴 때 엄마와 함께 자주 만들었어요.

→ 이 음식은 .... 음식이에요.

5) 이 노래는 제가 고향이 그리울 때 자주 들었어요.

→ 이 노래는 .... 노래예요.

2. 빈칸에 알맞은 것을 고르십시오.

1) 내일 제가 (   ) 음식은 비빔밥이에요.

① 먹은   ② 먹던   ③ 먹을

2) 지금 제가 (   ) 집은 교통이 아주 편리해요.

① 산   ② 사는   ③ 살던

3) 어릴 때부터 키가 (   ) 철수는 농구 선수가 되었어요.

① 크던   ② 크는   ③ 클

4) 작년에 매일 도서관에 가서 (   ) 안나는 결국 합격했어요.

① 공부하는   ② 공부할   ③ 공부하던

성격 2

1. 다음에서 알맞은 말을 골라 쓰십시오.

자신감이 넘치다	고집이 세다	낯을 가리다	사교적이다	얌전하다

1) [　　　　　] : 여러 사람과 잘 사귀고 쉽게 어울리는 편이다.

2) [　　　　　] : 자신의 생각이나 주장이 아주 강하다.

3) [　　　　　] : 항상 시끄럽지 않고 조용하다.

4) [　　　　　] : 어떤 일을 잘 해낼 수 있다고 스스로를 믿는 마음이 매우 강하다.

5) [　　　　　] : 새로운 사람을 만나거나 이야기하는 것을 어려워한다.

2. 다음에서 알맞은 말을 골라 글을 완성하십시오.

낯을 가리다	차갑다	부드럽다	고집이 세다	사교적이다

　　내게는 힘든 일이 있을 때면 연락하는 친한 학교 선배가 있다. 처음에는 그 선배가 잘 웃지 않았기 때문에 1) _____ 사람이라고 생각했다. 나는 다른 사람과 쉽게 친해지는 2) _____ 성격이지만 선배의 첫인상 때문에 선배에게 쉽게 다가가지 못했다. 그렇지만 선배와 함께 동아리 활동을 하게 되면서 이런 첫인상이 바뀌게 되었다. 나는 선배가 무섭고 자기주장만 하는 3) _____ 사람일 거라고 생각했다. 그런데 함께 하는 시간이 많아지면서 선배가 정말 따뜻한 마음을 가진 아주 4) _____ 사람이라는 것을 알게 되었다. 알고 보니 선배는 5) _____ 편이라 처음에 새로운 사람을 만나면 항상 긴장을 한다고 했다. 동아리 활동을 함께 하지 않았다면 선배의 따뜻한 모습을 모를 뻔했다. 정말 다행이다.

1. 다음을 잘 듣고 소피 씨의 룸메이트는 어떤 사람인지 써 보십시오. 🔊 01

2. 다시 한번 들으면서 빈칸에 알맞은 말을 써 보십시오. 🔊 02

> 마리 : 소피, 기숙사 생활이 어때? 룸메이트하고 잘 지내?
>
> 소피 : 응. 잘 지내고 있어. 중국에서 온 친구인데 나하고 잘 맞는 것 같아.
>
> 마리 : 그래? 잘됐네. 1) _____
>
> _____ 좀 힘들었어. 그래서 한 학기 만에 기숙사에서 나왔어.
>
> 소피 : 그랬구나. 내 룸메이트는 2) _____ 처음 만났을 때에는
>
> 인사만 하고 말을 잘 안 했거든. 그런데 친해진 후에 보니까 3) _____
>
> _____. 이야기도 많이 하고, 4) _____
>
> _____. 그래서 기숙사 생활이 즐거워.
>
> 마리 : 5) _____.

3. 대화를 듣고 따라 해 보십시오. 🔊 03

   1) 위의 대화를 보면서 듣고 따라 해 보십시오.

   2) 위의 대화를 보지 않고 들으면서 따라 해 보십시오.

4. 발음과 억양에 유의해서 다음 문장을 듣고 따라 해 보십시오. 🔊 04

> 낯을 많이 가려서 / 처음 만났을 때에는 / 인사만 하고 / 말을 잘 안 했거든.

1. 다음 글을 읽고 질문에 답하십시오.

〈한국취업연구소〉는 신입 사원을 뽑는 담당자 883명을 대상으로 '면접에서 첫인상이 미치는 영향'에 대한 설문 조사를 실시했다. 조사 결과에 따르면 면접에서 첫인상이 '매우 큰 영향을 미친다'가 39.8%, '큰 영향을 미친다'는 53.5%로 나타났다. 반면에 '영향을 미치지 않는다'는 응답은 6.7%로 나타났다. 이러한 결과를 통해 첫인상이 면접에서 큰 영향을 미친다는 것을 알 수 있다. 다음으로 면접에서 첫인상을 결정하는 요인에 대한 질문에는 '자세와 태도'가 가장 중요하다고 응답했다. 면접장에 들어오는 순간부터 자리에 앉아 대답하는 자세 등 기본적인 태도가 첫인상을 결정한다는 것이다. 이어서 '표정', '대답 내용', '말투'가 중요하다고 하였다. 따라서 면접을 볼 때에 좋은 첫인상을 보여 주기 위해서는 앉아서 다리를 떨거나 머리카락을 만지는 불필요한 행동을 주의해야 한다. 또한 평소에 사용하던 줄임말을 사용하지 않고, 정확하고 바른 말을 사용해서 질문에 대답하는 연습을 해야 한다.

1) 윗글의 제목으로 가장 어울리는 것을 고르십시오.

① 면접에서 첫인상의 중요성
② 신입 사원이 갖추어야 할 태도
③ 면접을 준비할 때에 주의할 점
④ 회사에 취업하기 위해 필요한 요인

2) 윗글의 내용과 같은 것을 고르십시오.

① 신입 사원을 대상으로 설문 조사를 실시했다.
② 불필요한 행동은 면접에 영향을 미치지 않는다.
③ 평소와 같이 편안한 말투로 대답하는 것이 좋다.
④ 면접장에서 보여 주는 태도가 첫인상을 결정한다.

2. 중요한 내용에 표시하면서 다시 한번 읽어 보십시오.

1. 앞에서 읽은 글의 내용을 떠올려 보십시오. 읽은 내용을 간단히 정리해 보십시오.

2. 다음의 핵심어를 참고하여 빈칸에 알맞은 문장을 써서 글을 완성해 보십시오.

〈한국취업연구소〉는 1) _____

(신입 사원, 뽑다, 담당자, 883명, 대상) '면접에서 첫인상이 미치는 영향'에 대한 설문 조사를 실시했다.

2) _____ (조사 결과, 따르다)

면접에서 첫인상이 '매우 큰 영향을 미친다'가 39.8%, '큰 영향을 미친다'는 53.5%로 나타났다. 반면에 '영향을 미치지 않는다'는 응답은 6.7%로 나타났다. 이러한 결과를 통해 3) _____

_____. (첫인상, 면접, 큰 영향, 미치다, 알다)

다음으로 면접에서 첫인상을 결정하는 요인에 대한 질문에는 '자세와 태도'가 가장 중요하다고 응답했다. 면접장에 들어오는 순간부터 자리에 앉아 대답하는 자세 등 기본적인 태도가 첫인상을 결정한다는 것이다. 이어서 '표정', '대답 내용', '말투'가 중요하다고 하였다. 따라서 4) _____

_____ (면접, 보다, 좋다, 첫인상, 보여 주다)

앉아서 다리를 떨거나 머리카락을 만지는 불필요한 행동을 주의해야 한다. 또한 평소에 사용하던 줄임말을 사용하지 않고, 5) _____

_____. (정확하다, 바르다, 말, 사용하다, 질문, 대답하다, 연습하다)

1. 다음과 같이 빈칸을 채워 보십시오.

		−(으)ㄹ까 −(으)ㄹ까
1)	좀 더 일하다, 그냥 쉬다	좀 더 일할까 그냥 쉴까
2)	전국을 일주하다, 해외여행을 가다	
3)	꽃병을 저쪽으로 옮기다, 그대로 두다	
4)	다른 사람의 도움을 받다, 혼자서 해 보다	
5)	케이크를 직접 만들다, 빵집에 가서 사 오다	
6)	인터넷 강의를 듣다, 혼자 공부를 하다	

2. 다음과 같이 문장을 바꿔 보십시오.

 집에서 텔레비전을 봐요? 영화관에 가요? 아직 결정 못 했어요.
→ 집에서 텔레비전을 볼까 영화관에 갈까 아직 결정 못 했어요.

1) 내가 먼저 연락해요? 친구의 연락을 기다려요? 아직 결정을 못 했어요.

→ _____.

2) 집값이 싼 곳으로 이사해요? 학교 근처로 이사해요? 잘 모르겠어요.

→ _____.

3) 유럽으로 유학을 가요? 아니면 말아요? 정말 모르겠어요.

→ _____.

4) 이 수업을 계속 들어요? 아니면 말아요? 고민이에요.

→ _____.

3. '−(으)ㄹ까 −(으)ㄹ까'를 사용해서 문장을 만들어 보십시오.

1) 이 길로 쭉 가 보다, 사람들에게 길을 물어보다, 고민하고 있다

→ _____.

2) 드라마를 계속 보다, 여기까지만 보다, 생각 중이다

→ _____.

3) 남자 친구와 헤어지다, 말다, 정말 모르겠다

→ _____.

4) 방학 동안 여행을 가다, 말다, 아직 결정 못 하다 → _____.

–지 그래요?

1. 다음과 같이 조언해 보십시오.

> 같이 사는 룸메이트와 잘 맞지 않아서 고민이에요.

> 룸메이트와 대화를 많이 해 보지 그래요? (룸메이트와 대화를 많이 해 보다)

1) 가 : 요즘 몸이 좋지 않아서 고민이에요.

    나 : _____? (가벼운 운동을 꾸준히 해 보다)

2) 가 : 요즘 한국어 실력이 늘지 않아서 고민이에요.

    나 : _____? (한국인이 많은 동아리에 가 보다)

3) 가 : 요즘 용돈이 부족해서 고민이에요.

    나 : _____? (아르바이트를 찾아보다)

4) 가 : 요즘 너무 외롭고 심심해요.

    나 : _____? (취미를 만들어 보다)

5) 가 : 지금 다니는 회사는 일은 많은데 월급은 적어서 고민이에요.

    나 : _____? (다른 회사를 알아보다)

2. '–지 그래요?'를 사용해서 문장을 만들어 보십시오.

1) 전공, 맞지 않다, 다른 전공, 바꾸다

   → _____?

2) 요즘, 잠, 잘 못 자다, 커피, 끊어 보다

   → _____?

3) 인터넷 방송, 관심이 있다, 인터넷 개인 채널, 만들어 보다

   → _____?

4) 기분, 우울하다, 햇빛을 쬐다, 걷다

   → _____?

1. 다음에서 알맞은 말을 골라 쓰십시오.

미래가 불안하다	경제적인 상황이 좋지 않다	인간관계가 어렵다

진로를 정하지 못하다	업무량이 너무 많다

1) [   ] : 돈이 많지 않아 여러 면에서 어렵다.

2) [   ] : 직장에서 해야 하는 일이 매우 많다.

3) [   ] : 앞으로의 일을 생각하면 두렵고 마음이 편하지 않다.

4) [   ] : 다른 사람과 사이 좋게 지내는 것이 쉽지 않다.

5) [   ] : 앞으로 무슨 일을 하면 좋을지 선택하지 못하고 있다.

2. 다음에서 알맞은 말을 골라 글을 완성하십시오.

연애를 하고 싶다	미래가 불안하다	직장 생활이 맞지 않다

인간관계가 어렵다	업무량이 너무 많다

　　취업 준비를 할 때는 직장을 다니게 되면 모든 것이 다 해결될 줄 알았다. 하지만 직장인이 되어도 여전히

1) _____ . 2) _____

매일 정신이 없다. 그래서 직장을 다니게 된 후로는 사랑하는 사람과 3) _____

그것도 쉽지 않다. 게다가 같이 일하는 직장 동료와 일 때문에 감정을 상하게 되는 일이 많아서

4) _____ . 5) _____

걸까? 새로운 일을 알아봐야 하는 걸까? 새롭게 다른 일을 시작해도 늦지 않은 걸까? 밤마다 이런 고민을

하며 잠이 드는 요즘이다.

① 다음을 잘 듣고 남자가 고민하는 것이 무엇인지 써 보십시오.
🔊 01

---

② 다시 한번 들으면서 빈칸에 알맞은 말을 써 보십시오.
🔊 02

마리 : 유진, 요즘도 동아리 활동 열심히 하고 있어?

유진 : 응. 요즘도 열심히 하고 있지. 하도 열심히 해서 학교 공부를 할 시간이 부족한 게 문제지만.

그런데 한 가지 고민거리가 생겼어.

마리 : 고민거리? 뭔데?

유진 : 이제 1) _____ .

그런데 동아리 대표로 나를 추천하는 친구들이 많아. 내가 2) _____

_____?

마리 : 3) _____ . 자신감을 가져. 너보다 잘할

사람은 없을 것 같은데.

유진 : 동아리 대표를 하면 시간을 많이 써야 하잖아. 학교 공부할 시간도 부족한데 4) _____

_____ .

마리 : 그렇게 생각할 수도 있지만, 5) _____

_____ . 대표로서 모임을 이끌어 가는 경험은 아무나 못 하는 거잖아.

---

③ 대화를 듣고 따라 해 보십시오.
🔊 03

1) 위의 대화를 보면서 듣고 따라 해 보십시오.

2) 위의 대화를 보지 않고 들으면서 따라 해 보십시오.

---

④ 발음과 억양에 유의해서 다음 문장을 듣고 따라 해 보십시오.
🔊 04

이제 / 우리 동아리의 / 새로운 대표를 뽑아야 하거든.

1. 다음 글을 읽고 질문에 답하십시오.

> **11월 19일 오후 5:20 행복한 호랑이**
>
> 대학 졸업반 학생입니다. 정말 다행스럽게도 저는 지원한 회사 두 군데에 모두 합격을 했습니다. 그런데 저는 지금 이 회사에 갈까, 저 회사에 갈까 행복한 고민에 빠졌습니다.
>
> 한 회사는 회사 규모도 크고 월급도 많고 안정적인 회사입니다. 그런데 그곳에서 제가 원하는 업무를 할 수 있을까요? 그것을 모르겠습니다. 다른 회사는 제가 원하는 업무를 할 수 있을 것 같아서 재미있게 다닐 수 있을 것 같기는 합니다. 그런데 회사가 좀 작은 편입니다. 월급도 많지 않습니다.
>
> 이런 경우에는 어떤 회사를 선택해야 할까요? 여러분들의 조언을 기다리겠습니다.
>
> ↳ 검은 콩
>
> 회사가 좀 작아도 재미있는 일을 하는 것이 좋습니다. 살다 보면 기쁨과 보람이 돈보다 더 중요하더라고요.
>
> ↳ 푸른 바다
>
> 그래도 안정적인 직장을 선택하는 게 좋을 것 같습니다. 큰 회사에서는 자신이 원하는 업무를 신청하는 제도도 있으니까, 일단 회사에 들어가서 일하다가 원하는 업무로 바꿀 수 있도록 노력하면 됩니다.

1) 윗글에서 글을 올린 사람의 고민은 무엇입니까?

① 내가 원하는 업무는 무엇일까?   ② 어떻게 취직에 성공할 수 있을까?

③ 좋은 회사에 가려면 어떻게 해야 할까?   ④ 합격한 회사 중 어떤 회사를 선택할까?

2) 고민에 대한 댓글의 내용과 <u>다른</u> 것을 고르십시오.

① '검은 콩'은 돈보다 기쁨과 보람을 중요하게 생각한다.

② '검은 콩'은 원하는 업무를 할 수 있는 회사를 추천하고 있다.

③ '푸른 바다'는 큰 회사의 장점과 단점을 모두 이야기하고 있다.

④ '푸른 바다'는 큰 회사에서도 원하는 업무를 할 수 있다고 하고 있다.

2. 중요한 내용에 표시하면서 다시 한번 읽어 보십시오.

1. 앞에서 읽은 글의 내용을 떠올려 보십시오. 읽은 내용을 간단히 정리해 보십시오.

2. 다음의 핵심어를 참고하여 빈칸에 알맞은 문장을 써서 글을 완성해 보십시오.

11월 19일 오후 5:20 행복한 호랑이

대학 졸업반 학생입니다. 정말 다행스럽게도 저는 지원한 회사 두 군데에 모두 합격을 했습니다. 그런데 저는 지금 1)

. (이 회사, 저 회사, 고민에 빠지다)

한 회사는 회사 규모도 크고 월급도 많고 안정적인 회사입니다. 그런데 그곳에서 2)

? (원하는 업무, 할 수 있다)

그것을 모르겠습니다. 다른 회사는 제가 원하는 업무를 할 수 있을 것 같아서 재미있게 다닐 수 있을 것 같기는 합니다. 그런데 회사가 좀 작은 편입니다. 월급도 많지 않습니다.

이런 경우에는 어떤 회사를 선택해야 할까요? 여러분들의 조언을 기다리겠습니다.

┗ **검은 콩**

3)

. (회사, 작다, 재미있는 일) 살다 보면 기쁨과 보람이 돈보다 더 중요하더라고요.

┗ **푸른 바다**

그래도 4)

. (안정적, 직장, 선택하다) 큰 회사에서는 자신이 원하는 업무를 신청하는 제도도 있으니까, 일단

5)

. (들어가다, 원하는 업무, 바꾸다)

–았어야 / 었어야 했는데

1. 다음과 같이 빈칸을 채워 보십시오.

		–았어야/었어야 했는데
1)	화를 참다	화를 참았어야 했는데
2)	공연을 꼭 보러 가다	
3)	건강을 잘 돌보다	
4)	남은 음식을 빨리 먹다	
5)	신중하게 생각하다	
6)	강의를 열심히 듣다	
7)	좀 더 서두르다	

2. 다음과 같이 문장을 바꿔 보십시오.

1) 열심히 준비했으면 더 좋았을 것 같아요. 후회가 돼요.

   → 열심히 준비했어야 했는데 후회가 돼요   .

2) 그냥 길을 물어봤으면 더 좋았을 것 같아요. 후회가 돼요.

   →   .

3) 친구들과 사진을 더 많이 찍었으면 좋았을 것 같아요. 후회가 돼요.

   →   .

4) 저축을 꾸준히 했으면 더 좋았을 것 같아요. 후회가 돼요.

   →   .

5) 그때 친구 말을 무시하지 않았으면 더 좋았을 것 같아요. 후회가 돼요.

   →   .

3. '–았어야/었어야 했는데'를 사용해서 문장을 만들어 보십시오.

1) 음식을 조금만 먹다, 배가 너무 고프다, 과식하다 →   .

2) 두꺼운 옷을 입다, 옷을 얇게 입다, 너무 춥다

   →   .

3) 일찍 출발하다, 집에서 천천히 나오다, 기차를 놓치다

   →   .

4) 어제 표를 예매하다, 지금은 표가 다 팔리다, 기차를 탈 수 없게 되다

   →   .

① 다음과 같이 빈칸을 채워 보십시오.

		-았을 / 었을 텐데
1)	좋은 회사에 취직하다	좋은 회사에 취직했을 텐데.
2)	외국으로 유학을 가다	
3)	시험을 잘 보다	
4)	담배를 끊다	
5)	오디션에 합격하다	
6)	몸이 건강해지다	
7)	휴대폰을 싸게 살 수 있다	

② 다음과 같이 문장을 바꿔 보십시오.

1) 실수를 하지 않았으면 시험에 합격했을 것이다.

   → 실수를 하지 않았으면 시험에 합격했을 텐데   .

2) 알람이 울렸을 때 일어났으면 지각하지 않았을 것이다.

   →   .

3) 쇼핑을 많이 하지 않았으면 생활비가 부족하지 않았을 것이다.

   →   .

4) 작년에 쉴 때 여행을 다녀왔으면 정말 좋았을 것이다.

   →   .

5) 고향 근처에 취직했으면 부모님과 자주 시간을 보낼 수 있었을 것이다.

   →   .

③ '–았을 / 었을 텐데'를 사용해서 문장을 만들어 보십시오.

1) 어제 일찍 자다, 회의 시간에 졸지 않다, 너무 늦게 자다 →

2) 그때 고백하다, 그 사람과 사귀다, 용기가 없다

   →

3) 미리 일을 해 두다, 밤에 쉴 수 있다, 너무 후회가 되다

   →

4) 앞을 잘 보면서 걷다, 넘어지지 않다, 휴대폰을 보면서 걷다가 넘어지다

   →

후회되는 일

---

1. 다음에서 알맞은 말을 골라 써 보십시오.

기회를 놓치다	최선을 다하지 못하다	다른 사람에게 상처를 주다

실수를 저지르다	신중하게 결정하지 못하다

1) [   ] : 잘 모르거나 조심하지 못해서 잘못을 하다.

2) [   ] : 다른 사람의 마음을 아프게 하다.

3) [   ] : 어떤 일을 성실하게 끝까지 잘 해내지 못하다.

4) [   ] : 어떤 일을 조심스럽게 고민해서 결정하지 못하다.

5) [   ] : 어떤 일을 하기에 가장 좋은 때를 그냥 보내 버리다.

---

2. 다음에서 알맞은 말을 골라 글을 완성하십시오.

화를 참지 못하다	실수를 저지르다	다른 사람의 시선을 너무 신경 쓰다

기회를 놓치다	다른 사람에게 상처를 주다

　나는 어떤 일을 결정할 때 1) ＿＿＿＿＿＿＿＿＿＿

편이다. '정말 내가 원하는 것인가'보다 '남들이 볼 때 이상하지 않을까'라는 생각을 더 많이 한다. 그래서

정말 하고 싶은 일도 다른 사람들 눈치를 보느라 중요한 2) ＿＿＿＿＿＿＿＿＿＿

경우가 많다. 그리고 나는 내가 잘못해서 3) ＿＿＿＿＿＿＿＿＿＿　　　　때도 스스로

반성하기보다는 남에게 화를 내는 경우가 많다. 순간적으로 4) ＿＿＿＿＿＿＿＿＿＿

불같이 화를 내서 5) ＿＿＿＿＿＿＿＿＿＿　　　　것이다. 이렇게 하고 나면 후회가

많이 된다. 앞으로는 후회할 일을 만들지 않도록 노력해야겠다.

---

① 다음을 듣고 여자가 가장 후회하는 것은 무엇인지 써 보십시오.

🔊 01

....

....

....

② 다시 한번 들으면서 빈칸에 알맞은 말을 써 보십시오.

🔊 02

> 진행자 : 세계적인 음악가 최수미 씨를 모시고 이야기 나누고 있습니다. 이번 국내 공연도 1) ....
> .... 기분이 어떠십니까?
>
> 최수미 : 만족스럽습니다. 오랜만에 국내 팬들과 만나는 자리인데 2) ....
> ....
>
> 진행자 : 얼마 전에 대한민국 음악상도 수상하셨지요? 축하드립니다. 이렇게 국내에서도 해외에서도
> 음악가로서 성공을 거두셨는데요. 혹시 살면서 후회되는 일은 없으세요?
>
> 최수미 : 아이고, 많지요. 특히 3) ....
> 4) ....
>
> 진행자 : 아무래도 세계 곳곳을 다니면서 공연을 하느라 바쁘셨을 것 같아요.
>
> 최수미 : 네. 그래서 보람도 느끼지만 아쉬운 것도 많아요. 작년에 아버지께서 편찮으셔서 입원하셨는데,
> 저는 그때 해외에서 공연하고 있었어요. 그래서 아버지를 돌봐 드리지 못했죠. 5) ....
> ....

③ 대화를 듣고 따라 해 보십시오.

🔊 03

1) 위의 대화를 보면서 듣고 따라 해 보십시오.

2) 위의 대화를 보지 않고 들으면서 따라 해 보십시오.

④ 발음과 억양에 유의해서 다음 문장을 듣고 따라 해 보십시오.

🔊 04

한국에 있었다면 / 아버지를 돌봐 드릴 수 있었을 텐데 / 너무 후회가 됩니다.

1. 다음 글을 읽고 질문에 답하십시오.

10대부터 60대까지 남녀 2,000명에게 물었다. "당신의 인생에서 가장 후회되는 일은 무엇입니까?" 그 결과 10~20대의 젊은 사람들은 '공부를 열심히 하지 않은 것'이 가장 후회된다고 답했다. 그리고 '부모님 말씀을 잘 듣지 않은 것', '친구와 싸운 것'이 후회된다는 대답이 뒤를 이었다. 30~40대도 '공부를 열심히 하지 않은 것'이 후회된다는 대답이 가장 많았다. 그러나 2, 3위는 '돈을 열심히 모으지 않은 것', '여행을 많이 하지 않은 것' 등으로 달라졌다. 50~60대는 '돈을 열심히 모으지 않은 것'이 후회된다는 대답이 가장 많았다. 2위는 '자녀 교육에 더 신경 쓰지 못한 것', 3위는 '건강을 돌보지 않은 것'이 후회된다는 대답이 뒤를 이었다.

정리해 보면 10대부터 40대까지는 '공부', 50~60대는 '돈'이 가장 후회되는 것이라고 대답했다. 10~40대는 공부할 수 있을 때 열심히 했어야 했는데 하지 못한 것을 후회하는 것이다. 그리고 50~60대는 돈을 모을 수 있을 때 열심히 모았어야 했는데 모으지 못한 것을 후회하는 것이다.

1) 윗글의 제목으로 가장 어울리는 것을 고르십시오.

① 인생에서 후회하지 않는 방법
② 젊었을 때 돈을 벌어야 하는 이유
③ 10대 때 공부를 열심히 해야 하는 이유
④ 10대~60대가 인생에서 가장 후회하는 일

2) 윗글의 내용과 같은 것을 고르십시오.

① 30~40대는 돈을 모으지 않은 것을 가장 후회한다.
② 60대 남녀 2,000명을 대상으로 설문 조사를 실시하였다.
③ 50~60대는 공부를 열심히 하지 않은 것을 가장 후회한다.
④ 10~20대는 친구와 싸운 것을 후회한다는 대답이 3위를 차지했다.

2. 중요한 내용에 표시하면서 다시 한번 읽어 보십시오.

1. 앞에서 읽은 글의 내용을 떠올려 보십시오. 읽은 내용을 간단히 정리해 보십시오.

2. 다음의 핵심어를 참고하여 빈칸에 알맞은 문장을 써서 글을 완성해 보십시오.

10대부터 60대까지 남녀 2,000명에게 물었다. "당신의 인생에서 가장 후회되는 일은 무엇입니까?"
그 결과 10~20대의 젊은 사람들은 1) _____

_____. (공부, 하지 않다, 후회되다) 그리고 '부모님 말씀을 잘

듣지 않은 것', 2) _____. (친구, 싸우다, 후회되다) 30~40대도

'공부를 열심히 하지 않은 것'이 후회된다는 대답이 가장 많았다. 그러나 2, 3위는 '돈을 열심히

모으지 않은 것', '여행을 많이 하지 않은 것' 등으로 달라졌다. 50~60대는 3) _____

_____. (돈, 모으지 않다, 후회되다) 2위는

'자녀 교육에 더 신경 쓰지 못한 것', 3위는 '건강을 돌보지 않은 것'이 후회된다는 대답이 뒤를 이었다.

정리해 보면 10대부터 40대까지는 '공부', 50~60대는 '돈'이 가장 후회되는 것이라고 대답했다.
10~40대는 4) _____ (공부, 열심히 하다) **하지 못한**

것을 후회되는 것이라고 대답했다. 그리고 50~60대는 5) _____

_____ (돈, 열심히 모으다)

모으지 못한 것을 후회되는 것이라고 대답했다.

에 비해서

1. 다음과 같이 문장을 바꿔 보십시오.

서울의 날씨는 제주도의 날씨와 비교했을 때 항상 더 추워요.
→ 서울의 날씨는 제주도의 날씨에 비해서 항상 더 추워요.

1) 말하기 시험은 읽기 시험과 비교했을 때 항상 더 어려워요.

→ ....

2) 태블릿 PC는 노트북과 비교했을 때 작고 가벼워요.

→ ....

3) 이번 겨울에는 작년 겨울과 비교했을 때 눈이 많이 오지 않는 것 같아요.

→ ....

4) 지금 다니는 회사는 예전에 다니던 회사와 비교했을 때 월급이 많아요.

→ ....

5) 요즘에는 예전과 비교했을 때 도시를 떠나 시골에서 사는 젊은 사람들이 많은 것 같아요.

→ ....

2. '에 비해서'를 사용해서 문장을 만들어 보십시오.

1) 이 음식점, 소문, 맛이 그저 그렇다

→ ....

2) 어제 산 가방, 가격, 품질이 별로이다

→ ....

3) 한국어 실력, 노력, 늘지 않다, 고민이다

→ ....

4) 요즘, 젊은 사람들, 과거, 텔레비전을 잘 안 보다

→ ....

1. 다음과 같이 빈칸을 채워 보십시오.

		-아야지 / 어야지
1)	봉사 활동을 가다	봉사 활동을 가야지
2)	범인을 반드시 잡다	
3)	방을 깨끗하게 치우다	
4)	환경을 지키다	
5)	진로에 대해 고민하다	
6)	매일 한국 음악을 듣다	
7)	논문을 열심히 쓰다	

2. 다음과 같이 문장을 바꿔 보십시오.

(선생님이 매일 지각하는 학생에게) 일찍 학교에 와야 한다.
→ 일찍 학교에 와야지.

1) (어머니가 매일 컴퓨터 게임만 하는 아이에게) 게임은 적당히 해야 한다.

→ _____.

2) (선생님이 반장에게) 반장으로서 책임감을 느껴야 한다.

→ _____.

3) (할머니가 손녀에게) 감기에 걸리지 않으려면 옷을 더 따뜻하게 입어야 한다.

→ _____.

4) (친구가 친구에게) 몸이 아프면 참지 말고 얼른 병원에 가야 한다.

→ _____.

3. '-아야지 / 어야지'를 사용해서 문장을 만들어 보십시오.

1) 내일부터, 열심히, 운동하다 → _____.

2) 이번에는, 꼭, 선생님과 한 약속, 지키다 → _____.

3) 앞으로, 절대 술, 마시지 않다 → _____.

4) 오늘 밤, 야식, 먹지 말다 → _____.

1. 다음에서 알맞은 말을 골라 써 보십시오.

| 청소년 | 구세대 | 아동 | 신세대 | 사춘기 |

1) [ ] : 새로운 문화를 쉽게 받아들이지 못하는 나이가 든 사람들.

2) [ ] : 나이가 10대 정도의 아직 어른이 아닌 어린 사람.

3) [ ] : 아동에서 어른이 되어 가면서 몸과 마음의 변화를 겪는 시기.

4) [ ] : 새로운 문화를 쉽게 받아들이는 나이가 젊은 사람들.

5) [ ] : 초등학교에 다니는 정도의 아주 어린 사람.

2. 다음에서 알맞은 말을 골라 글을 완성하십시오.

| 청년 | 보수적 | 중년 | 개혁적 | 노인 |

　　요즘은 세상이 너무 빠르게 변해서 세대 간의 차이가 매우 크다. 젊은 사람들인 1) _____,

나이가 많은 사람들인 2) _____, 그리고 그 사이의 3) _____ 들은 아주

다른 생각을 가지고 있다. 일반적으로 노인들은 4) _____ 이어서 이미 자신들이 익숙하게

지녀 왔던 제도와 문화를 지키고자 한다. 반면에 청년들은 5) _____ 이어서 새로운 것을

쉽게 받아들이고 변화를 중요하게 생각한다. 이러한 세대 간의 차이는 서로를 이해하지 못하게 하고 갈등을

일으킬 수 있다. 그렇기 때문에 서로의 다름을 이해하고 대화하는 것이 무엇보다 필요한 요즘이다.

1. 다음을 잘 듣고 여자는 부모님과 결혼식에 대한 생각이 어떻게 다른지 써 보십시오. 🔊 01

2. 다시 한번 들으면서 빈칸에 알맞은 말을 써 보십시오. 🔊 02

> 민호 : 너 결혼 준비 잘 하고 있어?
>
> 지우 : 응. 잘 준비하고 있어. 그런데 1) _____.
>
> 민호 : 그래? 어떤 점이 어려운데?
>
> 지우 : 음. 2) _____ 그런 점이 좀 어려워.
>
> 민호 : 그래? 결혼식에 대한 생각이 달라? 어떻게 다른데?
>
> 지우 : 나는 결혼식에 3) _____.
>
> 그런데 부모님은 큰 호텔을 빌려서 사람들을 많이 초대하고 싶어 하셔.
>
> 민호 : 그렇구나. 결혼식에 대해서도 아마 세대 차이가 있나 봐.
>
> 지우 : 응. 부모님 세대는 4) _____
>
> _____. 그래서 친척뿐만 아니라,
>
> 5) _____ 결혼식을 하고 싶으신가 봐.

3. 대화를 듣고 따라 해 보십시오. 🔊 03

1) 위의 대화를 보면서 듣고 따라 해 보십시오.

2) 위의 대화를 보지 않고 들으면서 따라 해 보십시오.

4. 발음과 억양에 유의해서 다음 문장을 듣고 따라 해 보십시오. 🔊 04

> 부모님 세대는 / 젊은이들에 비해서 / 그동안 해 오던 방식대로 / 결혼식을 해야 한다고 / 생각하는 것
> 같아.

1. 다음 글을 읽고 질문에 답하십시오.

> 세대별로 선호하는 에스엔에스(SNS)와 소통 방식이 다르다는 조사 결과가 발표되었다. 한국의 스마트폰 사용자를 대상으로 한 조사 결과에 따르면 에스엔에스(SNS) 이용 시간이 가장 많은 세대는 20대였으며, 가장 적은 세대는 50대 이상으로 나타났다. 선호하는 에스엔에스(SNS)도 세대별로 차이를 보였다. 청년 세대인 20~30대는 동영상이나 사진을 올리는 에스엔에스(SNS)를 가장 선호했지만, 10대 청소년은 메시지를 쉽게 주고받을 수 있는 에스엔에스(SNS)를 주로 사용하였다. 40~50대는 동호회나 동창회 등 모임에서 주로 사용하는 에스엔에스(SNS)를 가장 많이 사용했다.
>
> 에스엔에스(SNS) 사용 외에 소통 방식에도 차이가 나타났다. 40대 이상은 일상적인 소통을 위해서 음성 통화를 가장 자주 사용하는 반면에, 10~30대는 음성 통화보다는 문자 메시지를 가장 활발하게 사용한다고 응답하였다.

1) 윗글의 제목으로 가장 어울리는 것을 고르십시오.

① 한국인이 선호하는 에스엔에스(SNS)
② 스마트폰의 사용과 에스엔에스(SNS)
③ 노년 세대의 에스엔에스(SNS) 사용 증가
④ 선호하는 에스엔에스(SNS)의 세대별 차이

2) 윗글의 내용과 같은 것을 고르십시오.

① 40대 이상은 주로 직접 전화를 해서 소통을 한다.
② 20대는 에스엔에스(SNS) 사용이 가장 적은 세대이다.
③ 10~30대는 문자 메시지보다는 음성 통화를 선호한다.
④ 30대는 모임에서 사용하는 에스엔에스(SNS)를 가장 많이 이용한다.

2. 중요한 내용에 표시하면서 다시 한번 읽어 보십시오.

1.　앞에서 읽은 글의 내용을 떠올려 보십시오. 읽은 내용을 간단히 정리해 보십시오.

....

....

....

....

....

....

....

2.　다음의 핵심어를 참고하여 빈칸에 알맞은 문장을 써서 글을 완성해 보십시오.

1) ....

(세대, 선호하다, 에스엔에스(SNS) 소통 방식, 다르다)는 조사 결과가 발표되었다. 한국의 스마트폰 사용자를

대상으로 한 조사 결과에 따르면 에스엔에스(SNS) 이용 시간이 가장 많은 세대는 20대였으며,

2) ....

(가장, 적다, 세대, 50대 이상, 나타나다) 선호하는 에스엔에스(SNS)도 세대별로 차이를 보였다. 청년

세대인 20~30대는 동영상이나 사진을 올리는 에스엔에스(SNS)를 가장 선호했지만, 10대 청소년은

메시지를 쉽게 주고받을 수 있는 에스엔에스(SNS)를 주로 사용하였다. 40~50대는 동호회나 동창회 등

3) ....

.... (모임, 사용하다, 에스엔에스(SNS), 사용하다)

에스엔에스(SNS) 사용 외에 소통 방식에도 차이가 나타났다. 40대 이상은 4) ....

.... , (일상적이다,

소통, 음성 통화, 가장, 자주, 사용하다) 10~30대는 5) ....

.... (음성 통화, 문자 메시지, 활발하다, 사용하다) 응답하였다.

35

-는지/(으)ㄴ지 알다, 모르다

1. 다음과 같이 빈칸을 채워 보십시오.

		-는지/(으)ㄴ지 알다, 모르다
1)	새 영화가 언제 나오다	새 영화가 언제 나오는지 알다
2)	비빔밥을 어떻게 먹다	
3)	입장료가 얼마이다	
4)	무슨 색깔이 좋다	
5)	미술관이 몇 시에 문을 열다	
6)	병원에 왜 입원했다	
7)	교실에 누가 있다	

2. 다음과 같이 문장을 바꿔 보십시오.

한국 사람들은 새해에 뭐라고 인사를 해요? 알아요?
→ 한국 사람들은 새해에 뭐라고 인사를 하는지 알아요?

1) 한국 사람들은 추석에 무엇을 먹어요? 알아요?   → _____?

2) 부산 사투리가 표준어와 어떻게 달라요? 알아요?   → _____?

3) 한국 대통령이 누구예요? 알아요?   → _____?

4) 그 사람이 왜 회사를 옮겼어요? 알아요?   → _____?

3. '-는지/(으)ㄴ지 알다, 모르다'를 사용해서 문장을 만들어 보십시오.

1) 휴대폰 앱, 어떻게 음식을 배달시키다, 알다   → _____?

2) 강원도, 어떤 음식, 유명하다, 잘 모르다   → _____.

3) 설날, 떡국을 먹고 싶다, 어떻게 만들다, 잘 모르겠다   → _____

4) 이번 주말, 열리는 행사, 어떻게 참가하다, 알다   → _____?

–는다면서요? / ㄴ다면서요? / 다면서요?

① 다음과 같이 빈칸을 채워 보십시오.

		–는다면서요? / ㄴ다면서요? / 다면서요?
1)	집 안에서 신발을 벗다	집 안에서 신발을 벗는다면서요?
2)	이번에 장학금을 받다	
3)	오늘 밤에 폭설이 내리다	
4)	인천은 서울과 가깝다	
5)	제주도는 공기가 깨끗하다	
6)	유명한 축구 선수이다	
7)	큰 수술을 받았다	

② 다음과 같이 문장을 바꿔 보십시오.

 이번 방학에 고향에 가다. → 이번 방학에 고향에 간다면서요?

1) 서울은 부산보다 훨씬 춥다 → ....?

2) 해리 씨가 다이어트를 해서 아주 날씬해졌다 → ....?

3) 비가 너무 많이 와서 야구 경기가 취소되었다

→ ....?

4) 요즘 환경을 생각해서 일회용 컵을 사용하지 않는 사람들이 많다

→ ....?

③ '–는다면서요? / ㄴ다면서요? / 다면서요?'를 사용해서 문장을 만들어 보십시오.

1) 이번, 유진 씨, 대학, 졸업하다 → ....?

2) 한국, 24시간, 문을 여는 가게, 많다

→ ....?

3) 한국, 나이를 세는 방법, 다른 나라, 차이가 있다

→ ....?

4) 어제, 폭우, 교통사고, 많이 나다

→ ....?

한국 문화

1. 다음에서 알맞은 말을 골라 써 보십시오.

지역 사투리가 있다	웃어른을 존경하다	반말과 높임말이 있다

정이 많다	숟가락과 젓가락을 사용하다

1) [   ] : 사랑하거나 친근하다고 느끼는 마음이 크다.

2) [   ] : 밥을 떠먹는 도구와 반찬을 집어 먹는 도구를 사용한다.

3) [   ] : 각 지방에 표준어가 아닌 지방에서만 사용하는 말이 있다.

4) [   ] : 나이가 많거나 신분이 높은 사람에게 예의 바르게 대한다.

5) [   ] : 사람이나 물건을 높여서 표현하는 말과 높이지 않는 말이 있다.

2. 다음에서 알맞은 말을 골라 글을 완성하십시오.

'나'보다 '우리'를 중요하게 생각하다	윗사람 앞에서 술을 마실 때 고개를 돌리다

정이 많다	웃어른을 존경하다	가족을 부르는 말이 다양하다

한국어에서는 '내 집', '내 가족'처럼 말하지 않고 '우리 집', '우리 가족'으로 표현한다. 1) .... 문화 때문이다. 그리고 한국어에는 '형, 누나, 오빠, 언니'처럼 2) .... 한국 사람들은 3) .... 편이라서 도움이 필요한 사람을 잘 도와준다. 또한 한국 사람들은 4) .... 문화를 가지고 있다. 그래서 버스나 지하철에서 나이가 많은 어른을 만나면 자리를 양보하는 경우가 많다. 5) .... 마시는 것이 예의인데 이것도 윗사람을 존경하는 문화를 보여 주는 것이다.

1. 다음을 잘 듣고 남자가 새로 알게 된 한국의 생활 문화가 무엇인지 써 보십시오. 🔊 01

....

....

....

2. 다시 한번 들으면서 빈칸에 알맞은 말을 써 보십시오. 🔊 02

안나 : 이번에 서울에 출장 갔을 때 찍은 사진인가 봐요. 잘 나왔네요.

주노 : 저도 마음에 들어서 배경 화면으로 설정했어요. 그런데 안나 씨, 1)

.... ?

안나 : 글쎄요. 저는 보통 '치즈'라고 하는데, 한국에서는 뭐라고 해요?

주노 : '김치'라고 말해요. 김-치-. 이렇게 말하면 웃는 얼굴이 되잖아요.

안나 : 김-치-. 정말 그러네요. 참, 이번 출장 때 2) ?

주노 : 네. 3) .

그리고 여러 가지 한국의 생활 문화를 더 많이 경험할 수 있어서 흥미로웠어요.

안나 : 한국의 생활 문화요? 4)

.... 그것 말고도 또 새로 알게 된 문화가 있었어요?

주노 : 친구 아버지께서 윗사람 앞에서 술을 마실 때는 5)

...., 그런 문화도 새로 알게 되어서 좋았어요.

3. 대화를 듣고 따라 해 보십시오. 🔊 03

1) 위의 대화를 보면서 듣고 따라 해 보십시오.

2) 위의 대화를 보지 않고 들으면서 따라 해 보십시오.

4. 발음과 억양에 유의해서 다음 문장을 듣고 따라 해 보십시오. 🔊 04

한국에서는 / 집 안에서 / 신발을 벗고 생활한다고 들었어요.

1. 다음 글을 읽고 질문에 답하십시오.

나라마다 문화가 다른 것처럼 선물 문화도 조금씩 다르다. 우선 중국 사람들은 선물을 빨간색으로 포장하는 것을 좋아한다. 빨간색이 행운을 가져온다고 생각하기 때문이다. 반면에 검은색은 죽음을 의미하기 때문에 선물을 검은색으로 포장하면 안 된다. 인도네시아에서는 개를 부정적인 동물로 여긴다. 그래서 강아지 그림이 들어간 물건은 피하는 것이 좋다. 또 인도네시아에서는 선물을 받은 자리에서 바로 확인하면 예의 없다고 생각한다. 그러나 이탈리아에서는 선물을 받으면 준 사람 앞에서 바로 풀어 보는 것이 예의라고 한다.

축하의 의미로 선물하기 좋은 것 중 하나가 꽃이다. 그러나 꽃을 선물할 때도 나라별로 조심해야 하는 것이 있다. 프랑스에서는 빨간 장미를 함부로 선물하면 안 된다. 빨간 장미는 사랑을 고백하는 의미를 가지고 있어서 연인 사이에서만 주고받기 때문이다. 러시아에서 노란색 꽃은 이별을 의미하기 때문에 피해야 한다. 그리고 꽃을 짝수로 선물하는 것은 죽은 사람에 대한 슬픔을 표현하는 것이기 때문에 주의해야 한다.

1) 윗글의 제목으로 가장 어울리는 것을 고르십시오.

① 선물 포장지 색깔의 의미
② 나라마다 다른 선물 문화
③ 외국인에게 선물하기 좋은 물건
④ 사람들이 꽃 선물을 좋아하는 이유

2) 윗글의 내용과 같은 것을 고르십시오.

① 러시아에서는 사랑을 고백할 때 노란색 꽃을 선물한다.
② 이탈리아에서는 선물을 받으면 바로 풀어 보는 것이 좋다.
③ 프랑스에서는 빨간 장미를 선물하면 예의 없다고 생각한다.
④ 중국 사람에게 선물할 때는 빨간색 포장지를 피하는 것이 좋다.

2. 중요한 내용에 표시하면서 다시 한번 읽어 보십시오.

1. 앞에서 읽은 글의 내용을 떠올려 보십시오. 읽은 내용을 간단히 정리해 보십시오.

2. 다음의 핵심어를 참고하여 빈칸에 알맞은 문장을 써서 글을 완성해 보십시오.

나라마다 문화가 다른 것처럼 선물 문화도 조금씩 다르다. 우선 중국 사람들은 선물을 빨간색으로 포장하는 것을 좋아한다. 1)

. (빨간색, 행운) 반면에 검은색은 죽음을 의미하기 때문에 선물을 검은색으로 포장하면 안 된다. 인도네시아에서는 개를 부정적인 동물로 여긴다. 그래서 2)

. (강아지 그림, 피하다)

또 인도네시아에서는 선물을 받은 자리에서 바로 확인하 예의 없다고 생각한다. 그러나 이탈리아에서는 선물을 받으면 준 사람 앞에서 바로 풀어 보는 것이 예의라고 한다.

축하의 의미로 선물하기 좋은 것 중 하나가 꽃이다. 그러나 3)

. (꽃, 선물, 조심하다) **프랑스에서는** 4)

. (빨간 장미, 함부로)

빨간 장미는 사랑을 고백하는 의미를 가지고 있어서 연인 사이에서만 주고받기 때문이다. 러시아에서 5)

.

(노란색 꽃, 이별, 피하다) 그리고 꽃을 짝수로 선물하는 것은 죽은 사람에 대한 슬픔을 표현하는 것이기 때문에 주의해야 한다.

1. 다음과 같이 문장을 바꿔 보십시오.

 부상을 회복하는 일에 6개월이 넘게 걸렸어요.
→ 부상을 회복하는 데에 6개월이 넘게 걸렸어요.

1) 이 드라마의 대본을 쓰는 일에 1년이 넘게 걸렸어요.

→ _____ .

2) 환경을 보호하는 일에 도움이 되는 일을 하고 싶어요.

→ _____ .

3) 누군가와 같이 사는 것에는 노력이 많이 필요해요.

→ _____ .

4) 이 훈련은 기억력을 향상시키는 것에 큰 도움이 돼요.

→ _____ .

5) 이 음식은 면역력을 좋아지게 하는 것에 아주 효과적이에요.

→ _____ .

2. '-는 데에'를 사용해서 문장을 만들어 보십시오.

1) 이 책, 상식을 쌓다, 매우 좋다

→ _____ .

2) 개인 컵 사용, 일회용 쓰레기를 줄이다, 아주 효과적이다

→ _____ .

3) 이 운동, 다리를 튼튼하게 하다, 도움이 되다

→ _____ .

4) 요리를 해 본 적이 없다, 음식을 만들다, 시간이 오래 걸리다

→ _____ .

1. 다음과 같이 문장을 바꿔 보십시오.

 한국 드라마를 계속 보고 있어요. 한국어가 배우고 싶어졌어요.
→ 한국 드라마를 계속 보다 보니 한국어가 배우고 싶어졌어요.

1) 10년 넘게 고향을 떠나서 살고 있어요. 이제 고향에 가면 어색해요.

→ .

2) 하루하루 최선을 다해 일하고 있어요. 20년이 지났어요.

→ .

3) 매일 인터넷으로 강의를 듣고 있어요. 익숙해져서 아주 편해요.

→ .

4) 시험에 계속 떨어지고 있어요. 자신감이 없어졌어요.

→ .

5) 식사를 제대로 못 하고 있어요. 건강이 안 좋아졌어요.

→ .

2. '–다 보니'를 사용해서 문장을 만들어 보십시오.

1) 포기하지 않다, 노력하다, 꿈이 이루어지다

→ .

2) 말을 안 하다, 혼자 참다, 마음의 병이 생기다

→ .

3) 외국어가 재미있다, 계속 배우다, 5개 국어를 할 수 있게 되다

→ .

4) 일이 많다, 여러 사람이 나눠서 하다, 빨리 끝나다

→ .

업 무

1. 다음에서 알맞은 말을 골라 써 보십시오.

관리하다	개발하다	해결하다	창조하다	홍보하다

1) _____ : 연구하여 새로운 것을 만들다.

2) _____ : 어떤 시설이나 물건, 사람 등을 책임지고 맡아서 돌보다.

3) _____ : 남들이 생각하지 못했던 새로운 물건이나 예술 작품을 만들다.

4) _____ : 어떤 물건이나 작품을 많은 사람에게 알리다.

5) _____ : 사건이나 문제, 일 등을 잘 정리하여 끝내다.

2. 다음에서 알맞은 말을 골라 글을 완성하십시오.

제공하다	창조하다	관리하다	홍보하다	제작하다

　영화 한 편을 1) _____ 때에는 많은 사람들의 협력이 필요하다. 우선 영화는 영상으로 만든 예술 작품이기 때문에 신선하고 독특한 생각으로 상상의 인물과 세계를 2) _____ 작가와 감독이 있어야 한다. 그리고 영화를 만들기 위해서는 많은 비용이 든다. 그래서 이러한 비용을 3) _____ 줄 사람이나 기관이 있어야만 영화가 만들어질 수 있다. 또한 영화가 만들어지기까지의 일정을 꼼꼼하게 4) _____ 사람도 필요하다. 영화가 다 만들어진 후에도 이 영화를 많은 사람들이 관심을 가지고 볼 수 있도록 5) _____ 사람도 필요하다. 이처럼 한 편의 영화는 다양한 능력을 가진 사람들의 협동 속에서 제작되는 것이다.

1. 다음을 잘 듣고 여자가 지금 어떤 일을 하는지 써 보십시오.

2. 다시 한번 들으면서 빈칸에 알맞은 말을 써 보십시오.

유진 : 미나야, 요즘 회사 생활은 어때? 힘들지 않아?

미나 : 아, 요즘은 처음보다 많이 괜찮아졌어. 1) _____

_____ .

유진 : 다행이다. 2) _____ .

미나 : 응. 처음에는 고객들하고 직접 소통하는 게 정말 쉽지 않았는데 이제는 많이 익숙해졌어.

3) _____ .

유진 : 멋지다. 사실 고객들의 요구를 잘 듣는 게 4) _____

_____ .

미나 : 맞아. 고객들의 뜻을 모아서 회사에 알리고, 그게 반영돼서 5) _____

_____ .

일을 더 잘해 보고 싶은 마음도 점점 커지는 것 같아.

3. 대화를 듣고 따라 해 보십시오.

1) 위의 대화를 보면서 듣고 따라 해 보십시오.

2) 위의 대화를 보지 않고 들으면서 따라 해 보십시오.

4. 발음과 억양에 유의해서 다음 문장을 듣고 따라 해 보십시오.

처음에는 / 고객들하고 직접 소통하는 게 / 정말 쉽지 않았는데 / 이제는 많이 익숙해졌어.

1. 다음 글을 읽고 질문에 답하십시오.

> 누구나 영화를 보고 영화의 좋았던 점과 아쉬웠던 점에 대해서 이야기한다. 이렇게 영화를 보고 그것에 대해서 평가하는 행동을 평론이라고 한다. 그리고 이것을 직업으로 하는 사람들이 바로 '영화 평론가'이다. 영화 평론가는 영화에 대한 전문 지식을 활용해 작품에 담긴 의미를 분석하고 평가한다. 이렇게 평론을 하는 것은 영화 분야가 발전하는 데에 큰 역할을 한다.
>
> 따라서 영화 평론가가 되기 위해서는 영화에 대한 전문 지식을 풍부하게 갖추는 것이 무엇보다 중요하다. 그리고 작품을 분석적이고 창의적으로 바라보는 태도가 필요하다. 또한, 평론가는 자신이 평론한 내용을 주로 글로 쓰거나 인터뷰 자리에서 이야기해야 하다 보니 논리적인 글쓰기 실력과 의사소통 능력을 반드시 갖추어야 한다.

1) '영화 평론가'에 대한 설명으로 가장 알맞은 것을 고르십시오.

① 새로운 영화를 만드는 사람
② 영화를 사람들에게 홍보하는 사람
③ 어떤 영화를 분석하고 평가하는 사람
④ 영화에 대한 전문적인 내용을 가르치는 사람

2) 윗글에서 이야기한 '평론가'의 조건이 아닌 것을 고르십시오.

① 창의적인 태도
② 감성적인 성격
③ 풍부한 전문 지식
④ 논리적인 글쓰기 실력

2. 중요한 내용에 표시하면서 다시 한번 읽어 보십시오.

1. 앞에서 읽은 글의 내용을 떠올려 보십시오. 읽은 내용을 간단히 정리해 보십시오.

2. 다음의 핵심어를 참고하여 빈칸에 알맞은 문장을 써서 글을 완성해 보십시오.

누구나 영화를 보고 영화의 좋았던 점과 아쉬웠던 점에 대해서 이야기한다. 이렇게 1)

. (영화를 보다, 평가하다, 평론) 그리고 이것을 직업으로 하는 사람들이 바로 '영화 평론가'이다.

영화 평론가는 영화에 대한 전문 지식을 활용해 2)

. (작품, 의미, 분석하다, 평가하다) 이렇게 평론을 하는 것은

3)   . (영화 분야, 발전하다, 큰 역할)

따라서 영화 평론가가 되기 위해서는 영화에 대한 전문 지식을 풍부하게 갖추는 것이 무엇보다

중요하다. 그리고 작품을 4)

. (분석적이다, 창의적이다, 바라보다, 태도, 필요하다)

또한, 평론가는 자신이 평론한 내용을 주로 글로 쓰거나 인터뷰 자리에서 이야기해야 하다 보니

5)

. (논리적이다, 글쓰기 실력, 의사소통 능력, 갖추다)

1. 다음과 같이 빈칸을 채워 보십시오.

		–는다는 / ㄴ다는 / 다는 점에서
1)	다양한 봉사 활동을 하다	다양한 봉사 활동을 한다는 점에서
2)	주로 농사를 짓다	
3)	정확한 판단력이 필요하다	
4)	빠르게 문제를 해결하다	
5)	그 프로그램은 무료이다	
6)	쉽게 정보를 찾을 수 있다	
7)	평생 번 돈을 기부했다	

2. 다음과 같이 문장을 바꿔 보십시오.

1) 그 사람은 항상 자기보다 남을 먼저 생각한다. 바로 그 때문에 존경받을 만하다.

   → 그 사람은 항상 자기보다 남을 먼저 생각한다는 점에서 존경받을 만하다 .

2) 그 책은 인생에 꼭 필요한 교훈을 알려 준다. 바로 그 때문에 읽어 볼 만하다.

   → _____ .

3) 온라인 쇼핑은 집에서 편리하게 물건을 살 수 있다. 바로 그 때문에 인기가 많다.

   → _____ .

4) 견과류는 암 예방에 도움이 된다. 바로 그 때문에 큰 주목을 받고 있다.

   → _____ .

5) 그 영화는 현재 한국 사회를 잘 반영했다. 바로 그 때문에 큰 의미가 있다.

   → _____ .

3. '-는다는 / ㄴ다는 / 다는 점에서'를 사용해서 문장을 만들어 보십시오.

1) 경찰, 국민의 생명과 재산을 보호하다, 꼭 필요한 직업이다

   → _____ .

2) 그 유적, 역사적으로 큰 가치가 있다, 소중하게 보호되어야 한다

   → _____ .

3) 그 방법, 불면증 치료에 효과적이다, 많은 사람들의 관심을 받고 있다

   → _____ .

4) 나와 친구, 운동하는 것을 좋아하다, 서로 잘 통하다

   → _____

-(으)ㄴ 결과

1. 다음과 같이 빈칸을 채워 보십시오.

		-(으)ㄴ 결과
1)	새로운 일에 도전하다	새로운 일에 도전한 결과
2)	많은 사람들의 도움을 받다	
3)	위기를 잘 극복하다	
4)	경제가 나빠지다	
5)	절약하는 습관을 들이다	
6)	매일 30분씩 걷다	
7)	다른 사람을 위해 봉사하다	

2. 다음과 같이 문장을 바꿔 보십시오.

1) 그는 평화를 위해 애썼다. 그래서 노벨 평화상을 받았다.

   → 그는 평화를 위해 애쓴 결과 노벨 평화상을 받았다.

2) 작은 것에 감사하는 마음을 가졌다. 그래서 삶이 행복해졌다.

   → .

3) 그 선수는 꾸준히 재활 훈련을 하였다. 그래서 다친 어깨를 회복할 수 있었다.

   → .

4) 그 사람은 포기하지 않고 영화를 만들었다. 그래서 아카데미상을 수상했다.

   → .

5) 새로 개발된 프로그램을 직접 사용해 보았다. 그래서 문제점을 찾을 수 있었다.

   → .

3. '-(으)ㄴ 결과'를 사용해서 문장을 만들어 보십시오.

1) 연습을 많이 하다, 떨지 않고 발표를 하다

   → .

2) 다양한 분야의 책을 많이 읽다, 상식을 많이 쌓을 수 있다

   → .

3) 여러 번 소개팅을 하다, 정말 마음에 드는 사람을 만나다

   → .

4) 수업을 집중해서 듣다, 시험에서 좋은 성적을 거두다

   → .

업적

① 1. 다음에서 알맞은 말을 골라 써 보십시오.

> 세계 평화에 기여하다   나라를 위기에서 구하다   인간의 한계에 도전하다

> 백신을 개발하다   몸소 실천하다

1) [   ] : 직접 자기 스스로 생각을 행동으로 옮기다.

2) [   ] : 사람이 할 수 있는 최고의 단계에 오르기 위해 어려움에 맞서다.

3) [   ] : 나라들 간의 전쟁과 같은 것이 없어지게 하는 데에 도움이 되다.

4) [   ] : 나라가 어렵고 위험한 상황에 있을 때 이 상황에서 벗어나도록 하다.

5) [   ] : 병에 대한 면역력을 기르기 위한 약을 새로 만들다.

② 2. 다음에서 알맞은 말을 골라 글을 완성하십시오.

> 권리 보호에 앞장서다   훌륭한 예술 작품을 남기다   몸소 실천하다

> 많은 사람의 생명을 구하다   새로운 물건을 발명하다

여러분은 어떤 사람을 존경합니까? 많은 사람들에게 감동을 주는 1) _____

세계적인 화가를 떠올리는 사람도 있을 것이고, 2) _____ 에디슨

같은 발명가를 떠올리는 사람도 있을 것입니다. 그러나 매일 병원에서 3) _____

위해 애쓰는 의사와 간호사, 말 못 하는 동물의 4) _____ 시민 등

우리 주변에는 유명하지는 않지만 존경할 만한 사람들이 많습니다. 이들 또한 세계적으로 널리 알려진

사람들처럼 사랑과 희생을 5) _____ 살아가는 우리 시대의 존경할

만한 사람들입니다.

① 다음을 잘 듣고 남자가 '허준'을 존경하는 이유가 무엇인지 써 보십시오. 🔊 01

....

....

....

② 다시 한번 들으면서 빈칸에 알맞은 말을 써 보십시오. 🔊 02

진행자 : 최근 설문 조사에서 1) ....

.... 교수님도 존경하는 분이 있으신가요?

교수 : 그럼요. 2) .... '허준'입니다.

진행자 : 아, 조선 시대 왕을 치료하던 의사였죠. 그분을 존경하는 특별한 이유가 있습니까?

교수 : 옛날에는 의학이 발달하지 않아서 병으로 죽는 사람들이 많았잖아요. 그분은 3) ....

.... 삶의 대부분을 보냈어요. 특히

4) ....

.... 조선 최고의 의학서인 〈동의보감〉뿐만 아니라 상처를 입었을 때

스스로 치료하는 방법을 알려 주는 책도 쓰셨어요.

진행자 : 의사로서 많은 일을 하셨네요. 정말 존경할 만한 분인 것 같습니다.

교수 : 네. 5) ....

지금까지도 한국 사람들의 존경을 받는 분이에요.

③ 대화를 듣고 따라 해 보십시오. 🔊 03

1) 위의 대화를 보면서 듣고 따라 해 보십시오.

2) 위의 대화를 보지 않고 들으면서 따라 해 보십시오.

④ 발음과 억양에 유의해서 다음 문장을 듣고 따라 해 보십시오. 🔊 04

병의 치료법을 연구하고 / 약을 발명하면서 / 삶의 대부분을 보냈어요.

1. 다음 글을 읽고 질문에 답하십시오.

(㉠) 나는 사람들의 존경을 받을 만한 직업 중에 빼놓을 수 없는 직업이 바로 농부라고 생각한다. 농부는 농사를 지어 곡식, 채소, 과일 등을 생산한다. (㉡) 우리가 먹는 음식의 원료는 대부분 농부의 노력으로 생산되는 것이다. 열심히 일해서 사람들에게 좋은 음식을 제공한다는 점에서 농부는 존경받을 만한 직업이다.

"곡식이나 채소는 주인의 발자국 소리를 듣고 자란다."라는 말이 있다. (㉢) 농사는 날씨의 영향을 많이 받기 때문에 농부는 날씨의 변화도 열심히 살펴야 한다. 농부가 이렇게 1년 내내 땀 흘리며 노력해야 좋은 농산물을 생산할 수 있게 된다. (㉣) 일한 만큼 결과를 얻는다는 점에서 농부는 매우 정직한 직업이다.

1) 윗글의 중심 생각은 무엇인지 고르십시오.

① 세상에는 다양한 직업이 필요하다.
② 농부는 사람들의 존경을 받을 만한 직업이다.
③ 농사를 지을 때는 자연환경을 잘 이용해야 한다.
④ 농부는 좋은 농산물을 생산하기 위해 노력해야 한다.

2) 다음 문장이 들어가기에 가장 알맞은 곳을 고르십시오.

농부가 부지런히 일하고 계속해서 관심을 가져야 농사가 잘 된다는 뜻이다.

① ㉠   ② ㉡   ③ ㉢   ④ ㉣

2. 중요한 내용에 표시하면서 다시 한번 읽어 보십시오.

1. 앞에서 읽은 글의 내용을 떠올려 보십시오. 읽은 내용을 간단히 정리해 보십시오.

_____

_____

_____

_____

_____

_____

2. 다음의 핵심어를 참고하여 빈칸에 알맞은 문장을 써서 글을 완성해 보십시오.

　　나는 사람들의 존경을 받을 만한 직업 중에 빼놓을 수 없는 직업이 바로 농부라고 생각한다.

1) _____

　　　　_____ . (농부, 농사를 짓다, 곡식, 채소, 과일, 생산하다) 우리가 먹는 2) _____

　　　　　　　　　　　　　　　　　　. (음식의 원료, 농부의 노력, 생산)

열심히 일해서 사람들에게 좋은 음식을 제공한다는 점에서 농부는 존경받을 만한 직업이다.

　　"곡식이나 채소는 주인의 발자국 소리를 듣고 자란다"라는 말이 있다. 3) _____

　　_____ .

농사는 날씨의 영향을 많이 받기 때문에 농부는 날씨의 변화도 열심히 살펴야 한다. 농부가 이렇게

1년 내내 4) _____

　　_____ . (땀 흘리다, 노력하다, 좋은 농산물, 생산하다)

5) _____

　　_____ . (일하다, 결과를 얻다, 농부, 정직한 직업)

1. 다음과 같이 빈칸을 채워 보십시오.

		-(으)ㄹ수록
1)	에스엔에스(SNS)를 자주 하다	에스엔에스(SNS)를 자주 할수록
2)	일찍 잠자리에 들다	
3)	편리한 기능이 많다	
4)	첫인상이 별로이다	
5)	밤늦게까지 일하다	
6)	궁금한 점에 대해서 묻다	
7)	다른 사람의 조언을 많이 듣다	

2. 다음과 같이 문장을 바꿔 보십시오.

 시간이 가면 점점 아이를 낳는 부부가 줄어들어요.
→ 시간이 갈수록 아이를 낳는 부부가 줄어들어요.

1) 휴대폰을 자주 사용하면 점점 눈이 나빠져요. → .

2) 교통이 불편하면 집값이 더 저렴해요.   → .

3) 혼자 있으면 점점 생각이 많아져서 힘들어요. → .

4) 시험 문제가 쉬우면 점점 학생들이 공부를 하지 않아요.

→ .

3. '-(으)ㄹ수록'을 사용해서 문장을 만들어 보십시오.

1) 방이 넓다, 청소하기가 힘들다   → .

2) 작품을 발표하다, 유명해지다   → .

3) 스트레스를 받다, 건강이 나빠지다 → .

4) 걷다, 몸이 건강해지다   → .

1. 다음과 같이 빈칸을 채워 보십시오.

		-(으)나
1)	매운 음식을 잘 먹다	매운 음식을 잘 먹으나
2)	유명 배우가 출연했다	
3)	여행자들로 붐비다	
4)	첫인상이 날카롭다	
5)	인구가 많은 도시이다	
6)	그는 시골에서 컸다	
7)	여러 번 흥행에 실패했다	

2. 다음과 같이 문장을 바꿔 보십시오.

 태풍으로 인해 많은 피해가 있지만 사망자는 없습니다.
→ 태풍으로 인해 많은 피해가 있으나 사망자는 없습니다.

1) 전자책은 많이 읽지만 종이책은 거의 읽지 않습니다.

→ _____.

2) 인스턴트 음식은 요리하기가 쉽지만 건강에 좋지 않습니다.

→ _____.

3) 그 사람은 엄청난 부자였지만 평생 절약을 몸소 실천하였습니다.

→ _____.

4) 담배를 끊고 싶지만 생각처럼 잘 되지 않는다. → _____.

3. '-(으)나'를 사용해서 문장을 만들어 보십시오.

1) 친구, 시험을 열심히 준비했다, 떨어지다   → _____.

2) 지금 다니는 회사, 일은 어렵지 않다, 월급이 적다

→ _____.

3) 이 옷, 오래되었다, 관리를 잘해서 아주 깨끗하다

→ _____.

4) 그 사람, 오랫동안 치료를 받다, 결국 세상을 떠나다

→ _____.

1. 다음에서 알맞은 말을 골라 써 보십시오.

증가하다	꾸준히	감소하다	변화하다	급격히

1) [   ] : 어떤 것이 전과 다르게 되다.

2) [   ] : 처음부터 끝까지 거의 다르게 되는 것 없이 같게.

3) [   ] : 수나 양이 늘고 많아지다.

4) [   ] : 다르게 되는 속도가 매우 빠르게.

5) [   ] : 수나 양이 줄고 적어지다.

2. 다음에서 알맞은 말을 골라 글을 완성하십시오.

달라지다	늘어나다	급격히	줄어들다	점점

고양이, 강아지 같은 반려동물을 키우는 사람의 수가 5년 전에 비해서 약 2배 이상 많아졌습니다. 이렇게 반려동물을 키우는 사람들이 1) _____ 증가하는 이유는 혼자 사는 사람들이 2) _____ 아이를 낳는 부부가 3) _____ 때문입니다. 이렇게 반려동물을 키우는 사람들이 늘어나면서 동물에 대한 생각도 예전과 4) _____ 있습니다. 반려동물을 키우는 사람들에게 동물은 단순한 동물이 아니라 가족과 같은 소중한 존재입니다. 그렇기 때문에 자연스럽게 동물 권리에 대한 관심이 5) _____ 높아지게 되었습니다.

1. 다음을 잘 듣고 무엇에 대한 뉴스인지 써 보십시오.

    01

    ....

    ....

2. 다시 한번 들으면서 빈칸에 알맞은 말을 써 보십시오.

    02

    진행자 : 가게에 직접 가서 물건을 사지 않고 컴퓨터나 휴대폰으로 쇼핑을 하는 분들이 많이 계시는

    것으로 아는데요. 1) ....

    ....

    김세종 기자의 이야기 들어 보겠습니다.

    김세종 기자 : 네. 2) ....

    .... 지난달에는 전체

    쇼핑 중에서 50% 이상이 온라인 쇼핑으로 이루어졌다는 결과가 발표되었습니다.

    진행자 : 그러니까 직접 가게에 가서 물건을 사는 사람보다 온라인으로 물건을 사는 사람이 더 많

    아졌다는 얘기입니까?

    김세종 기자 : 네. 그렇습니다. 그리고 3) ....

    .... 예전에는 주로 옷이나

    신발 같은 것을 온라인으로 사는 경우가 많았는데, 4) ....

    ....

    식품을 하루 만에 신선하게 받을 수 있는 서비스가 시작되었기 때문입니다. 5) ....

    ....

3. 대화를 듣고 따라 해 보십시오.

    03

    1) 위의 대화를 보면서 듣고 따라 해 보십시오.

    2) 위의 대화를 보지 않고 들으면서 따라 해 보십시오.

4. 발음과 억양에 유의해서 다음 문장을 듣고 따라 해 보십시오.

    04

    앞으로도 / 온라인 쇼핑의 인기는 / 갈수록 높아질 것으로 보입니다.

1. 다음 글을 읽고 질문에 답하십시오.

> 무인 계산대를 사용하는 가게의 수가 급격히 늘어나고 있다. 무인 계산대에서는 손님들이 점원의 도움을 받지 않고도 스스로 물건값을 계산할 수 있다. 이러한 무인 계산대는 특히 햄버거 등을 파는 패스트푸드점에서 많이 사용된다. 한 패스트푸드 회사는 전체 매장 중 92.4%에서 무인 계산대를 사용하는 것으로 나타났으며, 올해 안에 모든 매장에서 무인 계산대를 사용하는 것을 목표로 하고 있다.
>
> 또 최근에는 매장에 점원이 한 명도 없는 무인 매장도 늘어나고 있다. 무인 매장은 특히 편의점을 중심으로 많이 생기고 있다. 무인 편의점에서는 손님들이 원하는 물건을 무인 계산대로 가지고 와서 스스로 계산을 하도록 되어 있기 때문에 점원이 없어도 가게를 운영할 수 있다. 그런데 이렇게 무인 계산대와 무인 매장이 늘어날수록 일자리가 점점 줄어들 수 있기 때문에 우리 사회에서는 이에 대한 준비가 필요하다.

1) 윗글의 제목으로 가장 어울리는 것을 고르십시오.

① 편의점의 변화 방향
② 점점 없어지는 일자리
③ 점원들이 일하기 좋은 매장
④ 무인 계산대와 무인 매장의 증가

2) 윗글의 내용과 같은 것을 고르십시오.

① 무인 편의점에서는 무인 계산대를 사용하지 않는다.
② 패스트푸드점 중에서 무인 매장이 많이 생기고 있다.
③ 무인 계산대에서는 점원이 없어도 물건값을 계산할 수 있다.
④ 모든 매장에서 무인 계산대를 사용하는 패스트푸트 회사가 있다.

2. 중요한 내용에 표시하면서 다시 한번 읽어 보십시오.

1. 앞에서 읽은 글의 내용을 떠올려 보십시오. 읽은 내용을 간단히 정리해 보십시오.

2. 다음의 핵심어를 참고하여 빈칸에 알맞은 문장을 써서 글을 완성해 보십시오.

1) _____

_____ . (무인 계산대, 사용하다, 가게, 급격히, 늘어나다) **무인 계산대에서는 손님들이 2)** _____

_____ . (점원의 도움, 받지 않다, 물건 값, 계산하다)

이러한 무인 계산대는 특히 햄버거 등을 파는 패스트푸드점에서 많이 사용된다. 한 패스트푸드 회사는

3) _____

_____ , (전체 매장,

92.4%, 무인 계산대, 사용) 올해 안에 모든 매장에서 무인 계산대를 사용하는 것을 목표로 하고 있다.

또 최근에는 매장에 4) _____

_____ . (점원, 한 명도 없다, 무인 매장, 늘어나다) **무인 매장은**

5) _____ . (특히, 편의점, 많이 생기다)

무인 편의점에서는 손님들이 원하는 물건을 무인 계산대로 가지고 와서 스스로 계산을 하도록 되어

있기 때문에 점원이 없어도 가게를 운영할 수 있다. 그런데 이렇게 무인 계산대와 무인 매장이

늘어날수록 일자리가 점점 줄어들 수 있기 때문에 우리 사회에서는 이에 대한 준비가 필요하다.

-는다고 / ㄴ다고 / 다고 생각하다

1. 다음과 같이 빈칸을 채워 보십시오.

		-는다고 / ㄴ다고 / 다고 생각하다
1)	휴대폰은 공부에 도움이 되다	휴대폰은 공부에 도움이 된다고 생각하다
2)	시간이 정말 빠르게 흐르다	
3)	한국은 24시간 영업하는 가게가 많다	
4)	그 작가의 작품은 특별하다	
5)	그래서 소형 아파트가 인기를 끌다	
6)	환경 오염이 심각한 상황이다	
7)	외국인 유학생이 증가했다	

2. 다음과 같이 문장을 바꿔 보십시오.

 저는 그 식당의 불고기가 아주 맛있어요.
→ 저는 그 식당의 불고기가 아주 맛있다고 생각해요.

1) 한 가지 일에 집중하는 것이 필요하다. → ....

2) 이번에 나온 그 노래가 들을 만해요. → ....

3) 한국 음식이 생각보다 맵지 않아요. → ....

4) 제가 원하는 삶을 살고 있어요. → ....

3. '-는다고 / ㄴ다고 / 다고 생각하다'를 사용해서 문장을 만들어 보십시오.

1) 저, 전공을 선택하다, 적성이 가장 중요하다

→ ....

2) 저, 집에서 일하다, 훨씬 효과적이다

→ ....

3) 저, 어려운 이웃들, 관심을 많이 가져야 한다

→ ....

4) 저, 그 광고, 회사 이미지에 도움이 되다

→ ....

-는/(으)ㄴ 거 아닐까 하다

---

① 다음과 같이 빈칸을 채워 보십시오.

		-는/(으)ㄴ 거 아닐까 하다
1)	불만을 가지고 있다	불만을 가지고 있는 거 아닐까 하다
2)	스트레스를 많이 받다	
3)	외로움을 많이 느끼다	
4)	상한 음식을 먹었다	
5)	슬럼프가 찾아왔다	
6)	성격이 아주 솔직하다	
7)	안내 방송을 못 들었다	

---

② 다음과 같이 문장을 바꿔 보십시오.

> 몸이 아파서 학교에 못 오다.
> → 몸이 아파서 학교에 못 오는 거 아닐까 해요.

1) 오늘도 일이 많아서 야근을 하다.　→ _____ .

2) 매일 밤 라면을 먹고 자서 살이 쪘다.　→ _____ .

3) 배우 김민수 씨의 연기가 훌륭해서 그 영화가 인기가 많다.

　　→ _____ .

4) 오늘 박물관이 쉬는 날이라서 전화를 안 받는다.

　　→ _____ .

---

③ '-는/(으)ㄴ 거 아닐까 하다'를 사용해서 문장을 만들어 보십시오.

1) 갑자기 날씨가 더워지다, 수영장을 찾는 사람들이 늘어나다

　　→ _____ .

2) 컴퓨터 게임을 너무 많이 하다, 눈이 안 좋아지다

　　→ _____ .

3) 이번 달에 쇼핑을 너무 많이 하다, 돈이 부족하다

　　→ _____ .

4) 시험을 못 보다, 표정이 어둡다　→

1. 다음에서 알맞은 말을 골라 써 보십시오.

| 찬성하다 | 장점이 있다 | 반대하다 | 부적절하다 | 부작용이 생기다 |

1) [   ] : 어떤 의견이 좋지 않다고 생각하여 다른 입장에 서다.

2) [   ] : 좋거나 잘하는 것이 있다.

3) [   ] : 어떤 의견이 좋다고 생각하여 같은 입장에 서다.

4) [   ] : 어떤 일이나 상황에 맞지 않다.

5) [   ] : 기대하지 않았던 좋지 않은 일이 나타나다.

2. 다음에서 알맞은 말을 골라 글을 완성하십시오.

| 동의하다 | 맞다 | 틀리다 | 부작용이 생기다 | 적절하다 |

　　많은 사람들이 인터넷이 우리의 생활을 더욱 편리하게 만들어 주었다고 생각한다. 나는 이러한 생각에

1) _____ 기술의 발달로 인해서 생각하지 못한 2) _____

되었다고 생각한다. 인터넷 공간에는 사실이 아닌 3) _____ 정보들도 많기 때문에

정확한 정보가 무엇인지 알기 어려울 때가 많다. 특히 나이가 어린 학생들은 무엇이 4) _____

무엇이 틀린 것인지를 정확하게 판단하는 것이 쉽지 않다. 따라서 정확하고 바른 정보를 찾을 수 있도록

학생들 수준에 맞는 5) _____ 교육이 필요하다.

① 다음을 잘 듣고 여자가 채식을 하는 두 가지 이유를 써 보십시오.

....

....

② 다시 한번 들으면서 빈칸에 알맞은 말을 써 보십시오.

> 민호 : 안나 씨, 불고기 좀 먹어 보세요. 정말 맛있네요.
>
> 안나 : 아, 미안한데 저는 채식을 해서 고기를 먹지 않아요.
>
> 민호 : 그래요? 몰랐어요. 그런데 안나 씨는 왜 채식을 해요?
>
> 안나 : 1) _____. 고기를 많이 먹으면
> 쉽게 살이 찌고, 2) _____.
>
> 민호 : 그런데 고기를 먹지 않으면 단백질이 너무 부족해지는 거 아니에요? 3) _____
> _____.
>
> 안나 : 꼭 그렇지는 않아요. 단백질이 많이 있는 콩을 자주 먹으면 고기를 대신할 수 있거든요.
>
> 민호 : 아, 그런 방법이 있겠군요.
>
> 안나 : 그리고 제가 채식을 하는 이유가 또 있는데요. 채식이 4) _____
> _____. 사람들이 소, 돼지, 닭을 키울 때
> 심각한 환경 오염이 발생하는데 그걸 조금이라도 줄일 수 있잖아요. 아무튼 5) _____
> _____.
>
> 민호 : 그렇군요. 저도 채식에 대해서 한번 생각해 봐야겠네요.

③ 대화를 듣고 따라 해 보십시오.

1) 위의 대화를 보면서 듣고 따라 해 보십시오.

2) 위의 대화를 보지 않고 들으면서 따라 해 보십시오.

④ 발음과 억양에 유의해서 다음 문장을 듣고 따라 해 보십시오.

환경을 보호하는 데에도 / 효과가 있기 때문이에요.

1. 다음 글을 읽고 질문에 답하십시오.

　　나는 회사에서 재택근무를 늘리는 것에 찬성한다. 재택근무는 회사에 출근하지 않고 집에서 일하는 제도이다. 재택근무를 하면 여러 가지 장점이 있다. 출퇴근을 하지 않아도 되기 때문에 회사원들은 가족들과 함께 하거나 자신의 발전을 위한 시간을 더 많이 가질 수 있다. ㉠_____ 회사원들이 더 만족스럽게 일할 수 있을 것이라고 생각한다. 요즘에는 회의도 온라인으로 할 수 있기 때문에 회사에 가지 않아도 다른 사람과 서로 소통할 수 있다. 그리고 회사의 입장에서도 사무실 공간을 많이 만들지 않아도 되기 때문에 비용을 절약할 수 있다.

　　물론 재택근무를 하면 반드시 만나서 일을 해야 할 때 문제가 생길 수도 있다. 그런 문제는 정기적으로 출근하는 날을 정하면 해결할 수 있는 거 아닐까 한다. 평소에는 집에서 각자 일을 하다가 정해진 날에만 만나서 함께 해야 하는 일을 하면 된다고 생각한다.

1) 윗글을 쓴 사람의 중심 생각은 무엇인지 고르십시오.

① 재택근무를 늘려야 한다.
② 재택근무는 여러 가지 문제가 있다.
③ 집에서 일을 하면 시간을 아낄 수 있다.
④ 회사 입장에서는 재택근무가 좋지 않다.

2) ㉠에 들어갈 알맞은 말을 고르십시오.

① 한편
② 결국
③ 반면
④ 만약

2. 중요한 내용에 표시하면서 다시 한번 읽어 보십시오.

1. 앞에서 읽은 글의 내용을 떠올려 보십시오. 읽은 내용을 간단히 정리해 보십시오.

2. 다음의 핵심어를 참고하여 빈칸에 알맞은 문장을 써서 글을 완성해 보십시오.

1) ....

(나, 재택근무, 늘리다, 찬성하다) **재택근무는 2)** ....

.... (회사, 출근하지 않다, 집, 일하다, 제도)

재택근무를 하면 여러 가지 장점이 있다. 출퇴근을 하지 않아도 되기 때문에 회사원들은 가족들과

함께 하거나 3) ....

.... (자신, 발전, 시간을 가지다) **결국 회사원들이**

더 만족스럽게 일할 수 있을 것이라고 생각한다. 요즘에는 회의도 온라인으로 할 수 있기 때문에

4) .... (회사, 가지 않다, 다른 사람, 소통하다)

그리고 회사의 입장에서도 사무실 공간을 많이 만들지 않아도 되기 때문에 비용을 절약할 수 있다.

물론 재택근무를 하면 반드시 만나서 일을 해야 할 때 문제가 생길 수도 있다. 그런 문제는

5) ....

.... (정기적, 출근하다, 날을 정하다, 해결하다)

평소에는 집에서 각자 일을 하다가 정해진 날에만 만나서 함께 해야 하는 일을 하면 된다고 생각한다.

1. 다음과 같이 문장을 바꿔 보십시오.

1) 저는 1년 후에 대학교를 졸업할 것 같아요.

→ 저는 1년 후에 대학교를 졸업하지 않을까 싶어요.

2) 학교까지 걸어서 가면 너무 멀 것 같아요.

→ .

3) 연애와 결혼은 정말 다를 것 같아요.

→ .

4) 내일쯤이면 택배가 올 것 같아요.

→ .

5) 그때쯤이면 한창 신나게 콘서트를 즐기고 있을 것 같아요.

→ .

6) 그 사람은 이미 병이 다 나았을 것 같아요.

→ .

2. '–지 않을까 싶다'를 사용해서 문장을 만들어 보십시오.

1) 다음 달이 되다, 그 가수의 새 앨범이 나오다

→ .

2) 조금만 더 노력하다, 원하는 결과를 얻다

→ .

3) 이번에도 우승을 못 하다, 사람들이 너무 실망하다

→ .

4) 파리로 신혼여행을 가다, 정말 낭만적이다

→ .

-기보다는

1. 다음과 같이 대답해 보십시오.

 회사 생활은 일이 힘들어요? 인간관계가 어려워요?

회사 생활은 일이 힘들기보다는 인간관계가 어려워요. /
회사 생활은 인간관계가 어렵기보다는 일이 힘들어요.

1) 책을 살 때 서점에 직접 가요? 온라인 서점을 이용해요?

   → _____.

2) 길을 모르면 사람들에게 물어봐요? 인터넷 지도를 찾아봐요?

   → _____.

3) 한국 생활이 외로워요? 재미있어요?

   → _____.

4) 우울하면 혼자 있어요? 친구와 만나서 이야기해요?

   → _____.

5) 좋아하는 사람이 있으면 고백을 기다려요? 먼저 고백해요?

   → _____.

2. '-기보다는'을 사용해서 문장을 만들어 보십시오.

1) 저, 한 회사에서 계속 일하다, 다양한 일을 자유롭게 하다

   → _____.

2) 저, 많은 돈을 벌다, 좋아하는 일을 하다

   → _____.

3) 저, 이번 학기가 끝나다, 해외로 여행을 가다, 봉사 활동을 하다

   → _____.

4) 저, 혼자 사는 것, 걱정되다, 설레다

   → _____.

1. 다음에서 알맞은 말을 골라 써 보십시오.

| 독립하다 | 은퇴하다 | 출산하다 | 아이를 기르다 | 노후를 보내다 |

1) [   ] : 노인이 된 이후의 삶을 살아가다.

2) [   ] : 아들과 딸을 돌보고 키우다.

3) [   ] : 다른 사람의 도움에 의지하지 않고 스스로 할 수 있다.

4) [   ] : 아이를 낳다.

5) [   ] : 직장, 사회 활동 같은 하던 일을 그만두다.

2. 다음에서 알맞은 말을 골라 글을 완성하십시오.

| 도전하다 | 가정을 이루다 | 진학하다 | 입사하다 | 창업하다 |

　　예전에는 학교를 졸업하고 회사에 1) _____ , 결혼을 해서 2) _____ 아이를 낳는 것을 누구나 꼭 해야 하는 일이라고 생각하는 사람이 많았습니다. 그러나 사회가 변화하면서 결혼과 출산이 필수적이라는 생각이 많이 변화했습니다. 요즘 젊은 사람들은 자신의 꿈을 위해 다양한 일들에 3) _____ 경우가 많습니다. 회사를 그만두고 대학원에 4) _____ 사람들도 있고 자신만의 가게를 5) _____ 세계 일주를 하는 사람들도 있습니다. 여러분은 이러한 다양한 삶의 모습들 중에서 어떤 삶을 살고 싶습니까?

① 다음을 잘 듣고 여자는 대학과 대학원을 졸업한 후에 무엇을 할 계획인지 각각 써 보십시오. 🔊 01

....

....

② 다시 한번 들으면서 빈칸에 알맞은 말을 써 보십시오. 🔊 02

교수 : 자기소개 잘 들었습니다. 자, 그럼 다음 질문할게요. 1) _____

_____? 어떤 계획이 있는지 얘기해 주시겠어요?

소피 : 저는 2) _____

_____. 제 전공 분야와 관련한 전문적인 지식을 배우고 싶습니다.

교수 : 그럼 대학원을 졸업한 후에는 무엇을 하고 싶어요?

소피 : 3) _____.

그리고 고향으로 돌아가서 회사를 창업하고 싶습니다. 대학원에서 배운 지식과 회사에서

쌓은 경험을 활용하면 4) _____.

교수 : 좋은 계획이네요. 그런데 창업을 한다고 했는데, 어떤 분야에서 창업을 할지도 생각해

봤어요?

소피 : 아직 구체적으로 정하지는 못했습니다. 그렇지만 환경에 도움이 될 수 있는 물건을 만들고

싶다는 생각을 하고 있습니다. 5) _____

_____.

교수 : 좋은 계획이 있으니 잘할 것 같네요. 수고 많았습니다.

③ 대화를 듣고 따라 해 보십시오. 🔊 03

1) 위의 대화를 보면서 듣고 따라 해 보십시오.

2) 위의 대화를 보지 않고 들으면서 따라 해 보십시오.

④ 발음과 억양에 유의해서 다음 문장을 듣고 따라 해 보십시오. 🔊 04

대학원을 졸업한 후에는 / 먼저 / 회사에 입사해서 / 경험을 쌓을 것입니다.

1. 다음 글을 읽고 질문에 답하십시오.

> 7월 1일 목요일
>
> 오늘 수업 시간에 '10년 후의 나의 모습'을 주제로 발표를 했다. 대부분의 친구들이 10년 후에는 사랑하는 사람과 결혼을 해서 아이를 낳고, 가족과 함께 행복한 시간을 보낼 거라고 했다. 그러나 나는 10년 후에 내가 하고 싶은 일에 대해서만 발표를 했다. 나는 결혼을 해서 아이를 낳기보다는 하고 싶은 일을 하면서 열심히 사는 것이 더 행복하다고 생각해 왔기 때문이다.
>
> 그런데 오늘 친구들의 발표를 들어 보니, 가정을 이루고 자녀들을 키우며 살아가는 미래의 삶도 행복하지 않을까 싶었다. 옛날부터 부모님들께서도 아이를 낳고 기르는 일은 정말 중요한 일이라는 말씀을 해 주셨다. 학교에 다닐 때에는 결혼하고, 아이를 낳는 것이 먼 미래의 일이라서 충분한 고민을 하지 않고 막연하게 생각했다. 그런데 곧 졸업을 하니까 이후의 삶에 대해서 구체적으로 결정해야 할 시기가 되었다. 10년 후의 나는 어떤 모습으로 살아가야 할까? 좀 더 많은 생각을 해 봐야겠다.

1) 윗글의 중심 생각은 무엇인지 고르십시오.

① 친구들이 하고 싶은 일
② 미래 사회에 적합한 직업
③ 10년 후의 미래에 대한 고민
④ 부모 세대와 젊은 세대의 차이

2) 윗글의 내용과 같은 것을 고르십시오.

① 나는 친구들과 달리 하고 싶은 일에 대해서 발표를 했다.
② 부모님은 행복한 미래를 위해서 일을 열심히 하라고 하셨다.
③ 오늘 친구들의 발표를 들으면서 결혼을 하지 않기로 결심했다.
④ 나는 학교에 다니면서 미래에 대해서 충분한 고민을 하고 결정했다.

2. 중요한 내용에 표시하면서 다시 한번 읽어 보십시오.

1. 앞에서 읽은 글의 내용을 떠올려 보십시오. 읽은 내용을 간단히 정리해 보십시오.

....

....

....

....

....

....

....

2. 다음의 핵심어를 참고하여 빈칸에 알맞은 문장을 써서 글을 완성해 보십시오.

7월 1일 목요일

오늘 수업 시간에 '10년 후의 나의 모습'을 주제로 발표를 했다. 대부분의 친구들이 10년 후에는 사랑하는 사람과 결혼을 해서 아이를 낳고, 1) _____

_____ . (가족, 함께, 행복하다, 시간, 보내다) 그러나 나는 10년 후에 내가 하고 싶은 일에 대해서만 발표를 했다. 나는 결혼을 해서 2) _____

_____ (아이를 낳다, 하고 싶은 일, 열심히 살다)

더 행복하다고 생각해 왔기 때문이다.

그런데 오늘 친구들의 발표를 들어 보니, 3) _____

_____

_____ . (가정을 이루다, 자녀를 키우다, 미래, 행복하다)

옛날부터 부모님들께서도 아이를 낳고 기르는 일은 정말 중요한 일이라는 말씀을 해 주셨다. 학교에 다닐 때에는 결혼하고, 아이를 낳는 것이 4) _____

_____ (먼 미래, 충분하다, 고민) 막연하게 생각했다. 그런데 곧 졸업을 하니까 이후의 삶에 대해서 5) _____

_____ . (구체적이다, 결정하다, 시기가 되다) 10년 후의 나는 어떤 모습으로 살아가야 할까? 좀 더 많은 생각을 해 봐야겠다.

벌써 졸업을 한다니!
믿기지가 않습니다

–는다니 / ㄴ다니 / 다니

1. 다음과 같이 빈칸을 채워 보십시오.

		–는다니 / ㄴ다니 / 다니
1)	그 배우가 대상을 받다	그 배우가 대상을 받다니!
2)	내가 마라톤에 도전하다	
3)	형제인데 이렇게 성격이 다르다	
4)	문을 연 가게가 없다	
5)	한 달 동안 휴가다	
6)	지난달에 출산을 했다	
7)	곧 예약이 마감되다	

2. 다음과 같이 문장을 바꿔 보십시오.

아들이 벌써 대학생이라고요? 시간이 정말 빠르네요.
→ 아들이 벌써 대학생이라니! 시간이 정말 빠르네요.

1) 채소 가격이 또 오른다고요? 정말 걱정이네요.　→ _____.

2) 학교 캠퍼스가 이렇게 아름다웠다고요? 그동안은 전혀 몰랐네요.

　→ _____.

3) 무료 와이파이를 어디에서든지 쓸 수 있다고요? 정말 편리하네요.

　→ _____.

4) 해리 씨의 건강이 회복되었다고요? 정말 다행이네요.　→ _____.

3. '–는다니 / ㄴ다니 / 다니'를 사용해서 문장을 만들어 보십시오.

1) 나, 벌써 이렇게 나이가 들었다, 기분이 이상하다

　→ _____.

2) 안나 씨, 하루 종일 연락이 안 된다, 정말 걱정이다

　→ _____.

3) 재민 씨, 벌써 한국에 돌아갔다, 너무 아쉽다

　→ _____.

4) 주노 씨, 다음 달에 회사를 그만둔다, 너무 갑작스럽다

　→ _____.

–기를 바라다

1. 다음과 같이 문장을 바꿔 보십시오.

 앞으로 하는 일이 모두 다 잘되었으면 좋겠습니다.
→ 앞으로 하는 일이 모두 다 잘되기를 바랍니다.

1) 올해에는 건강을 더 신경 썼으면 좋겠습니다.

→ ....

2) 앞으로는 사고가 나지 않도록 조심했으면 좋겠습니다.

→ ....

3) 일도 좋지만 스트레스를 풀 수 있는 취미를 만들었으면 좋겠습니다.

→ ....

4) 이번 기회에 서로를 더 잘 이해할 수 있게 되었으면 좋겠습니다.

→ ....

5) 힘들어도 너무 쉽게 포기하지 않았으면 좋겠습니다.

→ ....

2. '–기를 바라다'를 사용해서 문장을 만들어 보십시오.

1) 올해, 좋은 회사, 취직할 수 있다

→ ....

2) 이번에는, 마음에 드는 사람, 만나다

→ ....

3) 올해, 다양한 일, 도전해 보다

→ ....

4) 내년에, 좋은 일, 많이 생기다

→ ....

심정과 소감

1. 다음에서 알맞은 말을 골라 쓰십시오.

믿기지 않다   홀가분하다   시원섭섭하다   마음이 설레다   몸 둘 바를 모르겠다

1) [   ] : 아주 부끄러워서 어떻게 행동해야 할지 모르겠다.

2) [   ] : 어떤 일이 이루어질 것이라고 생각하지 않다.

3) [   ] : 마음을 답답하게 했던 것이 사라져서 좋지만 아쉬운 마음도 있다.

4) [   ] : 어떤 일 때문에 가슴이 두근거리다.

5) [   ] : 마음이 매우 가볍고 편안하다.

2. 다음에서 알맞은 말을 골라 글을 완성하십시오

마음이 설레다   꿈만 같다   아쉽다

걱정이 앞서다   눈물이 앞을 가리다

작년에 나는 국토대장정에 도전했다. 오랜 고민 끝에 도전하게 된 국토대장정이었지만 출발 전날에는 '내가 끝까지 할 수 있을까?'라는 1) _____ 잠을 이루지 못했다. 하지만 국토대장정을 시작하자 걱정은 사라졌다. 아름다운 산과 강에 둘러싸여 걷고 있는 것이 현실 같지 않고 2) _____. 그렇지만 항상 즐겁기만 한 것은 아니었다. 몸이 아프거나 날씨가 좋지 않을 때는 그냥 다 포기하고 집으로 돌아가고 싶은 마음도 들었다. 그래도 포기하지 않고 끝까지 걸어 국토대장정을 끝냈다. 대장정을 끝내는 날 그동안의 시간이 머릿속에 스쳐 지나가며 3) _____. 지금 생각해 보면 체력을 더 기르고 참가했더라면 더 좋았을 것 같아서 4) _____ 하지만 그때의 사진을 보면 언제나 기분이 좋다. 나는 내년에 또 국토대장정에 도전하려고 한다. 다시 아름다운 산과 강을 보며 걸을 그 날을 생각하면 5) _____.

1. 다음을 잘 듣고 질문에 답하십시오. 🔊 01

　　1)　남자는 지금 왜 소감을 이야기하고 있습니까?

　　　　────────────────────────────────

　　　　────────────────────────────────

　　2)　남자의 소감은 어떻습니까?

　　　　────────────────────────────────

　　　　────────────────────────────────

2. 다시 한번 들으면서 빈칸에 알맞은 말을 써 보십시오. 🔊 02

　　배우 : 여러분. 1) ──────────────────────────────────── .
　　　　오늘은 제가 꿈꿔 왔던 일이 이루어진 날입니다. 저는 지금까지 매년 이 시상식을 집에서
　　　　텔레비전을 통해 시청했습니다. 텔레비전을 보면서 2) ────────────────
　　　　──────────────────── 하는 생각을 했었습니다. 그런
　　　　3) ────────────────────────────────
　　　　──────────────── . 정말 감사합니다. 영화 〈파란 꿈〉은 저에게 행운과도 같은
　　　　작품입니다. 이 작품을 만나서 배우로서 더욱 성장할 수 있었던 것 같습니다. 좋은 감독님,
　　　　4) ────────────────────────────
　　　　──────── . 이 신인상은 앞으로 더 열심히 하라는 의미로 주신 거라고 생각합니다. 앞으로
　　　　5) ──────────────────────────────── . 감사합니다.

3. 대화를 듣고 따라 해 보십시오. 🔊 03

　　1)　위의 담화를 보면서 듣고 따라 해 보십시오.

　　2)　위의 담화를 보지 않고 들으면서 따라 해 보십시오.

4. 발음과 억양에 유의해서 다음 문장을 듣고 따라 해 보십시오. 🔊 04

　　텔레비전을 보면서/나에게도/저 시상식에서/상을 받는 날이 올까/하는 생각을 했습니다.

1. 다음 글을 읽고 질문에 답하십시오.

나는 이번 여름에 한 달 동안 한국에 가서 한국어와 한국 문화를 배우는 연수 프로그램에 참여했다. 그 프로그램 덕분에 이번 여름은 내 인생에서 잊지 못할 여름이 되었다. 사실 처음에 이런 연수 프로그램이 있다는 소식을 들었을 때 갈까 말까 고민을 많이 했다. 그런데 지금 다시 생각해 보면 한국에 가기를 정말 잘했다는 생각이 든다.

한국에 처음 도착한 날은 비행기를 오래 타고 가느라 피곤한 데다가 비도 많이 와서 너무 힘들었다. 한 달 동안 잘 지낼 수 있을까 걱정이 앞섰다. 그렇지만 친절한 선생님들 덕분에 그 걱정은 완전히 사라졌다. 숙소도, 학교도, 생활도 모두 새롭고 낯설었지만 즐겁게 한국어도 배우고 한국 생활을 즐길 수 있었다.

나는 특히 문화 체험을 위해 한강공원에 간 것이 기억에 가장 많이 남는다. 우리 반 친구들은 다 같이 한강공원에서 시원한 풍경을 보면서 즐거운 시간을 보냈다. 한가롭게 즐기는 사람들 속에 함께 있다는 것이 너무 행복했다.

행복한 한 달 동안의 한국 생활이 끝나고 나는 다시 학교에 돌아와서 바쁘게 생활을 하고 있다. 바쁜 생활 속에서도 가끔씩 한국에서의 즐거웠던 기억이 떠올라서 기분이 좋아진다. 앞으로도 나는 한국에서의 즐거웠던 경험을 잊지 못할 것이다.

1) 윗글의 제목으로 가장 어울리는 것을 고르십시오.

① 나의 여름 방학 계획
② 나의 자랑스러운 한국 친구
③ 잊지 못할 한국에서의 한 달
④ 한국과 우리 나라의 문화 차이

2) 윗글의 내용과 <u>다른</u> 것을 고르십시오.

① 한국에 도착한 날에는 걱정을 많이 했다.
② 나는 지금도 가끔 한국에서의 일이 생각난다.
③ 가장 기억에 남는 일은 한강공원에 간 일이다.
④ 나는 이 프로그램 소식을 듣자마자 바로 신청했다.

2. 중요한 내용에 표시하면서 다시 한번 읽어 보십시오.

1. 앞에서 읽은 글의 내용을 떠올려 보십시오. 읽은 내용을 간단히 정리해 보십시오.

2. 다음의 핵심어를 참고하여 빈칸에 알맞은 문장을 써서 글을 완성해 보십시오.

　　나는 이번 여름에 한 달 동안 한국에 가서 한국어와 한국 문화를 배우는 연수 프로그램에 참여했다. 그 프로그램 덕분에 1) _____

_____. (이번 여름, 내 인생, 잊지 못하다) **사실 처음에 이런** 연수 프로그램이 있다는 소식을 들었을 때 갈까 말까 고민을 많이 했다. 그런데 지금 다시 생각해 보면 한국에 가기를 정말 잘했다는 생각이 든다.

　　한국에 처음 도착한 날은 비행기를 오래 타고 가느라 피곤한 데다가 비도 많이 와서 너무 힘들었다. 2) _____

_____. (한 달, 잘 지내다, 걱정이 앞서다) **그렇지만 3)** _____

_____. (친절한 선생님들, 걱정, 사라지다) **숙소도, 학교도, 생활도** 모두 새롭고 낯설었지만 즐겁게 한국어도 배우고 한국 생활을 즐길 수 있었다.

　　나는 특히 문화 체험을 위해 4) _____

_____. (한강공원, 기억에 남다) **우리 반 친구들은 다 같이** 한강공원에서 시원한 풍경을 보면서 즐거운 시간을 보냈다. 한가롭게 즐기는 사람들 속에 함께 있다는 것이 너무 행복했다.

　　행복한 한 달 동안의 한국 생활이 끝나고 나는 다시 학교에 돌아와서 바쁘게 생활을 하고 있다. 바쁜 생활 속에서도 5) _____

_____. (가끔, 기억이 떠오르다, 기분이 좋아지다) **앞으로도 나는** 한국에서의 즐거웠던 경험을 잊지 못할 것이다.

부록

/ 듣기 지문   / 모범 답안   / 자료 출처

듣기 지문 ── 4B

마리: 소피, 기숙사 생활이 어때? 룸메이트하고 잘 지내?
소피: 응. 잘 지내고 있어. 중국에서 온 친구인데 나하고 잘 맞는 것 같아.
마리: 그래? 잘됐네. 나는 대학 때 같이 살던 룸메이트하고 성격이 잘 안 맞아서 좀 힘들었어. 그래서 한 학기 만에 기숙사에서 나왔어.
소피: 그랬구나. 내 룸메이트는 낯을 많이 가려서 처음 만났을 때에는 인사만 하고 말을 잘 안 했거든. 그런데 친해진 후에 보니까 아주 사교적인 성격이더라고. 이야기도 많이 하고, 성격도 밝고, 좋은 사람인 것 같아. 그래서 기숙사 생활이 즐거워.
마리: 좋은 룸메이트를 만나서 정말 다행이다.

듣고 말하기 | 4번 | 15쪽

발음과 억양에 유의해서 다음 문장을 듣고 따라 해 보십시오.

낯을 많이 가려서/처음 만났을 때에는/인사만 하고/말을 잘 안 했거든.

마리: 유진, 요즘도 동아리 활동 열심히 하고 있어?
유진: 응. 요즘도 열심히 하고 있지. 하도 열심히 해서 학교 공부를 할 시간이 부족한 게 문제지만. 그런데 한 가지 고민거리가 생겼어.
마리: 고민거리? 뭔데?
유진: 이제 우리 동아리의 새로운 대표를 뽑아야 하거든. 그런데 동아리 대표로 나를 추천하는 친구들이 많아. 내가 동아리 대표를 잘할 수 있을까?
마리: 너라면 당연히 잘할 수 있지. 자신감을 가져. 너보다 잘할 사람은 없을 것 같은데.
유진: 동아리 대표를 하면 시간을 많이 써야 하잖아. 학교 공부할 시간도 부족한데 괜히 시간을 낭비하는 것은 아닐까 걱정이 돼.
마리: 그렇게 생각할 수도 있지만, 동아리 대표를 해 보는 것은 아주 좋은 경험이 될 거야. 대표로서 모임을 이끌어 가는 경험은 아무나 못 하는 거잖아.

듣고 말하기 | 4번 | 21쪽

발음과 억양에 유의해서 다음 문장을 듣고 따라 해 보십시오.

이제/우리 동아리의/새로운 대표를 뽑아야 하거든.

듣기 지문 ── 4B

안나: 민호 씨의 이상형은 어떤 사람이에요?
민호: 음. 저는 재미있는 사람이 좋아요. 유머 감각이 있는 사람요.
안나: 그럼 그런 사람을 만난 적이 있어요?
민호: 그럼요. 지금 제 여자 친구가 그런 사람이에요. 여자 친구는 유머 감각이 있는 데다가 외향적이고 적극적이라서 같이 있으면 즐거워요. 안나 씨는요?
안나: 제 이상형은 성실하고 책임감 있는 사람이에요. 자기가 맡은 일이라면 뭐든지 열심히 하는 사람요.
민호: 그럼 안나 씨도 이상형을 만난 적이 있어요?
안나: 저는 아직까지는 제 이상형을 만나지 못했어요. 언젠가는 그런 사람을 만날 수 있겠지요.

듣고 말하기 | 4번 | 9쪽

발음과 억양에 유의해서 다음 문장을 듣고 따라 해 보십시오.

여자 친구는/유머 감각도 있는 데다가/외향적이고 적극적이라서/같이 있으면 즐거워요.

04 🔊 그때 그 꿈을 포기하지 말았어야 했는데

듣고 말하기 | 1~3번 | 27쪽

진행자: 세계적인 음악가 최수미 씨를 모시고 이야기 나누고 있습니다. 이번 국내 공연도 아주 성공적이었다는 평가를 받고 있는데요. 기분이 어떠십니까?

최수미: 만족스럽습니다. 오랜만에 국내 팬들과 만나는 자리인데 열심히 준비해서 후회 없는 공연이 된 것 같아요.

진행자: 얼마 전에 대한민국 음악상도 수상하셨지요? 축하드립니다. 이렇게 국내에서도 해외에서도 음악가로서 성공을 거두셨는데. 혹시 살면서 후회되는 일은 없으세요?

최수미: 아이고, 많지요. 특히 가족들에게 잘해 주지 못한 게 제일 후회돼요. 가족과 시간을 많이 보냈어야 했는데 그러지 못했어요.

진행자: 아무래도 세계 곳곳을 다니면서 공연을 하느라 바쁘셨을 것 같아요.

최수미: 네. 그래서 보람도 느끼지만 아쉬운 것도 많아요. 작년에 아버지께서 편찮으셔서 입원하셨는데, 저는 그때 해외에서 공연하고 있었어요. 그래서 아버지를 돌봐 드리지 못했죠. 한국에 있었다면 아버지를 돌봐 드릴 수 있었을 텐데 너무 후회가 됩니다.

듣고 말하기 | 4번 | 27쪽

발음과 억양에 유의해서 다음 문장을 듣고 따라 해 보십시오.

한국에 있었다면/아버지를 돌봐 드릴 수 있었을 텐데/너무 후회가 됩니다.

05 🔊 40대는 청소년들에 비해서 결혼을 해야 한다는 응답이 많았습니다

듣고 말하기 | 1~3번 | 33쪽

민호: 너 결혼 준비 잘 하고 있어?

지우: 응. 잘 준비하고 있어. 그런데 생각보다 어려운 점이 많네.

민호: 그래? 어떤 점이 어려운데?

지우: 음. 부모님하고 결혼식에 대한 생각이 많이 달라서 그런 점이 좀 어려워.

민호: 그래? 결혼식에 대한 생각이 달라? 어떻게 다른데?

지우: 나는 결혼식에 가까운 친척들만 초대하고 싶거든. 그런데 부모님은 큰 호텔을 빌려서 사람들을 많이 초대하고 싶어 하셔.

민호: 그렇구나. 결혼식에 대해서도 아마 세대 차이가 있나 봐.

지우: 응. 부모님 세대는 젊은이들에 비해서 그동안 해 오던 방식대로 결혼식을 해야 한다고 생각하는 것 같아. 그래서 친척뿐만 아니라, 친구나 회사 동료까지 모두 초대해서 큰 규모로 하는 결혼식을 하고 싶으신가 봐.

듣고 말하기 | 4번 | 33쪽

발음과 억양에 유의해서 다음 문장을 듣고 따라 해 보십시오.

부모님 세대는/젊은이들에 비해서/그동안 해 오던 방식대로/결혼식을 해야 한다고/생각하는 것 같아.

06 🔊 식당에서 직원을 어떻게 부르는지 알아요?

듣고 말하기 | 1~3번 | 39쪽

안나: 이번에 서울에 출장 갔을 때 찍은 사진인가 봐요. 잘 나왔네요.

주노: 저도 마음에 들어서 배경 화면으로 설정했어요. 그런데 안나 씨, 한국 사람들은 사진을 찍을 때 뭐라고 하는지 알아요?

안나: 글쎄요. 저는 보통 '치즈'라고 하는데, 한국에서는 뭐라고 해요?

주노: '김치'라고 말해요. 김-치-. 이렇게 말하면 웃는 얼굴이 되잖아요.

안나: 김-치-. 정말 그러네요. 참, 이번 출장 때 한국 친구 집에도 갔었다면서요?

주노: 네. 친구 부모님께서 정이 많은 분들이셨어요. 그리고 여러 가지 한국의 생활 문화를 더 많이 경험할 수 있어서 흥미로웠어요.

안나: 한국의 생활 문화요? 한국에서는 집 안에서 신발을 벗고 생활한다고 들었어요. 그것 말고도 또 새로 알게 된 문화가 있었어요?

주노: 친구 아버지께서 윗사람 앞에서 술을 마실 때는 고개를 돌리고 마시는 거라고 알려 주셨는데, 그런 문화도 새로 알게 되어서 좋았어요.

듣고 말하기 | 4번 | 39쪽

발음과 억양에 유의해서 다음 문장을 듣고 따라 해 보십시오.

한국에서는/집 안에서/신발을 벗고 생활한다고 들었어요.

07 🔊 저는 하늘길을 관리하는 일을 합니다

듣고 말하기 | 1~3번 | 45쪽

유진: 미나야, 요즘 회사 생활은 어때? 힘들지 않아?

미나: 아, 요즘은 처음보다 많이 괜찮아졌어. 6개월 정도 일하다 보니 적응이 좀 된 것 같아.

유진: 다행이다. 고객 관리팀 일이 쉽지 않았을 텐데….

미나: 응. 처음에는 고객들하고 직접 소통하는 게 정말 쉽지 않았는데 이제는 많이 익숙해졌어. 고객들이 원하는 게 뭔지도 더 잘 알게 되고.

유진: 멋지다. 사실 고객들의 요구를 잘 듣는 게 회사가 발전하는 데에 제일 중요한 일이잖아.

미나: 맞아. 고객들의 뜻을 모아서 회사에 알리고, 그게 반영돼서 제품이나 서비스가 더 좋아지는 걸 보면 정말 보람 있어. 일을 더 잘해 보고 싶은 마음도 점점 커지는 것 같아.

듣고 말하기 | 4번 | 45쪽

발음과 억양에 유의해서 다음 문장을 듣고 따라 해 보십시오.

처음에는/고객들하고 직접 소통하는 게/정말 쉽지 않았는데/이제는 많이 익숙해졌어.

---

08 🔊 삶에 대한 가르침을 줬다는 점에서 존경을 받습니다

듣고 말하기 | 1~3번 | 51쪽

진행자: 최근 설문 조사에서 20대가 가장 존경하는 인물로 선정되셨는데요. 교수님도 존경하는 분이 있으신가요?

교수: 그럼요. 제가 가장 존경하는 인물은 조선 시대의 유명한 의사인 '허준'입니다.

진행자: 아, 조선 시대 왕을 치료하던 의사였죠. 그분을 존경하는 특별한 이유가 있습니까?

교수: 옛날에는 의학이 발달하지 않아서 병으로 죽는 사람들이 많았잖아요. 그분은 병의 치료법을 연구하고 약을 발명하면서 삶의 대부분을 보냈어요. 특히 전염병 치료에 힘쓴 결과 많은 사람들의 생명을 구할 수 있었죠. 조선 최고의 의학서인 〈동의보감〉뿐만 아니라 상처를 입었을 때 스스로 치료하는 방법을 알려 주는 책도 쓰셨어요.

진행자: 의사로서 많은 일을 하셨네요. 정말 존경할 만한 분인 것 같습니다.

교수: 네. 평생 동안 병의 치료법을 연구했다는 점에서 지금까지도 한국 사람들의 존경을 받는 분이에요.

듣고 말하기 | 4번 | 51쪽

발음과 억양에 유의해서 다음 문장을 듣고 따라 해 보십시오.

병의 치료법을 연구하고/약을 발명하면서/삶의 대부분을 보냈어요.

---

09 🔊 갈수록 현금을 사용하는 사람들이 줄어들고 있습니다

듣고 말하기 | 1~3번 | 57쪽

진행자: 가게에 직접 가서 물건을 사지 않고 컴퓨터나 휴대폰으로 쇼핑을 하는 분들이 많이 계시는 것으로 아는데요. 이 온라인 쇼핑의 인기가 높아지고 있다는 소식입니다. 김세종 기자의 이야기 들어 보겠습니다.

김세종 기자: 네. 조사에 따르면 온라인 쇼핑이 꾸준히 증가하고 있는 것으로 나타났습니다. 지난달에는 전체 쇼핑 중에서 50% 이상이 온라인 쇼핑으로 이루어졌다는 결과가 발표되었습니다.

진행자: 그러니까 직접 가게에 가서 물건을 사는 사람보다 온라인으로 물건을 사는 사람이 더 많아졌다는 얘기입니까?

김세종 기자: 네. 그렇습니다. 그리고 온라인 쇼핑으로 사는 물건의 종류도 매우 다양해졌습니다. 예전에는 주로 옷이나 신발 같은 것을 온라인으로 사는 경우가 많았는데, 이제는 식품까지도 온라인으로 구매하는 경우가 늘어나고 있습니다. 식품을 하루 만에 신선하게 받을 수 있는 서비스가 시작되었기 때문입니다. 앞으로도 온라인 쇼핑의 인기는 갈수록 높아질 것으로 보입니다.

듣고 말하기 | 4번 | 57쪽

발음과 억양에 유의해서 다음 문장을 듣고 따라 해 보십시오.

앞으로도/온라인 쇼핑의 인기는/갈수록 높아질 것으로 보입니다.

---

10 🔊 저는 인터넷에서 실명을 써야 한다고 생각해요

듣고 말하기 | 1~3번 | 63쪽

민호: 안나 씨, 불고기 좀 먹어 보세요. 정말 맛있네요.

안나: 아, 미안한데 저는 채식을 해서 고기를 먹지 않아요.

민호: 그래요? 몰랐어요. 그런데 안나 씨는 왜 채식을 해요?

안나: 채식을 하는 것이 건강에 좋은 것 같아서요. 고기를 많이 먹으면 쉽게 살이 찌고, 여러 가지 병에 걸리기 쉽다고 들었어요.

민호: 그런데 고기를 먹지 않으면 단백질이 너무 부족해지는 거 아니에요? 오히려 건강에 해로운 거 아닐까 하는데요.

안나: 꼭 그렇지는 않아요. 단백질이 많이 있는 콩을 자주 먹으면 고기를 대신할 수 있거든요.

민호: 아, 그런 방법이 있겠군요.

안나: 그리고 제가 채식을 하는 이유가 또 있는데요. 채식이 환경을 보호하는 데에도 효과가 있기 때문이에요. 사람들이 소, 돼지, 닭을 키울 때 심각한 환경 오염이 발생하는데 그걸 조금이라도 줄일 수 있잖아요. 아무튼 채식은 여러 장점이 있다고 생각해요.

민호: 그렇군요. 저도 채식에 대해서 한번 생각해 봐야겠네요.

듣고 말하기 | 4번 | 63쪽

발음과 억양에 유의해서 다음 문장을 듣고 따라 해 보십시오.

환경을 보호하는 데에도/효과가 있기 때문이에요.

듣고 말하기 | 1~3번 | 69쪽

교수: 자기소개 잘 들었습니다. 자, 그럼 다음 질문할게요. 대학을 졸업한 후에는 무엇을 하려고 합니까? 어떤 계획이 있는지 얘기해 주시겠어요?

소피: 저는 바로 취직하기보다는 대학원에 진학해서 공부를 더 하고 싶습니다. 제 전공 분야와 관련한 전문적인 지식을 배우고 싶습니다.

교수: 그럼 대학원을 졸업한 후에는 무엇을 하고 싶어요?

소피: 대학원을 졸업한 후에는 먼저 회사에 입사해서 경험을 쌓을 것입니다. 그리고 고향으로 돌아가서 회사를 창업하고 싶습니다. 대학원에서 배운 지식과 회사에서 쌓은 경험을 활용하면 창업에 큰 도움이 되지 않을까 싶습니다.

교수: 좋은 계획이네요. 그런데 창업을 한다고 했는데, 어떤 분야에서 창업을 할지도 생각해 봤어요?

소피: 아직 구체적으로 정하지는 못했습니다. 그렇지만 환경에 도움이 될 수 있는 물건을 만들고 싶다는 생각을 하고 있습니다. 대학원까지 졸업하려면 시간이 좀 있으니까 천천히 생각해 보려고 합니다.

교수: 좋은 계획이 있으니 잘할 것 같네요. 수고 많았습니다.

듣고 말하기 | 4번 | 69쪽

발음과 억양에 유의해서 다음 문장을 듣고 따라 해 보십시오.

대학원을 졸업한 후에는 / 먼저 / 회사에 입사해서 / 경험을 쌓을 것입니다.

듣고 말하기 | 1~3번 | 75쪽

배우: 여러분. 저에게 이렇게 귀한 상을 주셔서 정말 감사합니다. 오늘은 제가 꿈꿔 왔던 일이 이루어진 날입니다. 저는 지금까지 매년 이 시상식을 집에서 텔레비전을 통해 시청했습니다. 텔레비전을 보면서 나에게도 저 시상식에서 상을 받는 날이 올까 하는 생각을 했었습니다. 그런 제가 이렇게 상을 받다니! 정말 믿기지 않고 꿈만 같습니다. 정말 감사합니다. 영화 〈파란 꿈〉은 저에게 행운과도 같은 작품입니다. 이 작품을 만나서 배우로서 더욱 성장할 수 있었던 것 같습니다. 좋은 감독님, 좋은 선배님들과 함께 할 수 있어서 정말 행복했습니다. 이 신인상은 앞으로 더 열심히 하라는 의미로 주신 거라고 생각합니다. 앞으로 최선을 다하는 좋은 배우가 되겠습니다. 감사합니다.

듣고 말하기 | 4번 | 75쪽

발음과 억양에 유의해서 다음 문장을 듣고 따라 해 보십시오.

텔레비전을 보면서 / 나에게도 / 저 시상식에서 / 상을 받는 날이 올까 / 하는 생각을 했었습니다.

모범 답안
4B

01 뭐든지 적극적인 데다가 유머 감각도 있어요

1) 토요일에 만나든지 일요일에 만나든지
2) 여기로 가든지 저기로 가든지
3) 여기에 돼지고기를 넣든지 닭고기를 넣든지
4) 도서관에서 공부하든지 집에서 쉬든지
5) 서류를 직접 방문해서 제출하든지 인터넷으로 제출하든지

[예시]
1) 이번 주 주말에 어디를 가든지 다 좋아요
2) 마음이 지칠 때는 어디든지 여행을 가 보세요
3) 성격이 급해서 무슨 일을 하든지 실수를 많이 해요
4) 책을 읽든지 일기를 쓰든지 나만의 시간을 갖는 것이 중요해요

1) 소극적이다
2) 외향적이다
3) 자신감이 있다
4) 책임감이 없다
5) 성실하다

1) 적극적인
2) 유머 감각이 있어서
3) 내성적인
4) 급한
5) 느긋한

2) 활기가 넘치는 데다가
3) 볼거리가 많은 데다가
4) 분위기가 색다른 데다가
5) 많은 유적지가 있는 데다가
6) 고양이가 계속 우는 데다가
7) 커피를 많이 마신 데다가

2) 그 식당은 분위기가 좋은 데다가 가격도 저렴해서 자주 가는 편이에요
3) 지금 다니는 회사는 집에서 너무 먼 데다가 월급도 적어요
4) 이번 달에 노트북을 새로 산 데다가 휴대폰도 새로 샀어요
5) 어제 배가 너무 아픈 데다가 머리도 너무 어지러워서 병원에 갔어요

남자의 이상형: 재미있는 사람, 유머 감각이 있는 사람
여자의 이상형: 성실하고 책임감 있는 사람

1) 이상형은 어떤 사람이에요
2) 유머 감각이 있는 사람요
3) 유머 감각이 있는 데다가 외향적이고 적극적이라서
4) 제 이상형은 성실하고 책임감 있는 사람이에요
5) 뭐든지 열심히 하는 사람요

[예시]
1) 명동에는 맛있는 것이 많은 데다가 구경할 곳도 많다
2) 내 친구는 매일 아침에 수영을 하는 데다가 매일 저녁 영어까지 배운다
3) 제주도는 바다가 아름다운 데다가 경치도 좋다
4) 나와 친구는 같은 동네에서 자란 데다가 학교도 함께 다녔다

1) ③
2) ③

[예시]

　나의 친구 안나와 수지는 성격이 정반대이다. 안나는 성격이 활발하고 외향적이다. 안나에게 고민을 이야기하면 좋은 해결 방법을 알려 준다. 수지는 말이 없고 내성적이다. 수지는 나를 잘 이해해 줘서 마음이 편해진다. 두 사람은 모두 나에게 소중하다.

1) 성격이 정반대이다
2) 다른 사람들과 함께 하는 것을 좋아한다
3) 잘 이해해 줄 뿐만 아니라 좋은 해결 방법을 알려 주기도 한다
4) 다른 사람의 고민을 잘 들어준다
5) 고민이 사라지고 마음이 편안해진다

 처음 만났을 때는 얌전한 성격인 줄 알았거든

| 문법 | 1번 | 12쪽 |

2) 매운 음식을 잘 먹는 줄 알았다
3) 여행지로 유명한 줄 알았다
4) 반전이 숨어 있는 줄 알았다
5) 한국 생활이 쉬운 줄 알았다
6) 지갑을 잃어버린 줄 알았다
7) 두 사람이 헤어질 줄 알았다

| 문법 | 2번 | 12쪽 |

1) 오늘 일이 많아서 야근할 줄 알았어요
2) 처음에는 우리 선생님이 무서울 줄 알았어요
3) 밖에 바람이 많이 부는 줄 알았어요
4) 냄새가 좋지 않아서 맛이 없을 줄 알았어요

| 문법 | 3번 | 12쪽 |

[예시]
1) 그 친구하고 친해질 줄 몰랐어요
2) 대학교 캠퍼스가 엄청 클 줄 몰랐어요
3) 안나가 한국어를 잘할 줄 몰랐어요
4) 지우 씨가 따뜻한 사람일 줄 몰랐어요

| 대화 속 문법 | 1번 | 13쪽 |

1) 제가 처음 한국에 왔을 때 살던
2) 제가 작년에 거의 매일 입던
3) 제가 항상 힘들 때마다 읽던
4) 어릴 때 엄마와 함께 자주 만들던
5) 제가 고향이 그리울 때 자주 듣던

| 대화 속 문법 | 2번 | 13쪽 |

1) ③　　　　　　　　2) ②
3) ①　　　　　　　　4) ③

| 어휘와 표현 | 1번 | 14쪽 |

1) 사교적이다　　　　2) 고집이 세다
3) 얌전하다　　　　　4) 자신감이 넘치다
5) 낯을 가리다

| 어휘와 표현 | 2번 | 14쪽 |

1) 차가운　　　　　　2) 사교적인
3) 고집이 센　　　　　4) 부드러운
5) 낯을 가리는

| 듣고 말하기 | 1번 | 15쪽 |

낯을 많이 가려서 처음 만났을 때에는 인사만 하고 말을 잘 안 했다. 하지만 친해진 후에는 사교적인 성격이라서 이야기도 많이 한다. 그리고 성격도 밝은 좋은 사람이다.

| 듣고 말하기 | 2번 | 15쪽 |

1) 나는 대학 때 같이 살던 룸메이트하고 성격이 잘 안 맞아서
2) 낯을 많이 가려서
3) 아주 사교적인 성격이더라고
4) 성격도 밝고, 좋은 사람인 것 같아
5) 좋은 룸메이트를 만나서 정말 다행이다

| 읽기 | 1번 | 16쪽 |

1) ①　　　　　　　　2) ④

| 쓰기 | 1번 | 17쪽 |

[예시]
　〈한국취업연구소〉는 신입 사원을 뽑는 담당자를 대상으로 '면접에서 첫인상이 미치는 영향'에 대한 설문 조사를 실시하여 첫인상이 면접에 큰 영향을 미친다고 하였다. 면접에서 첫인상을 결정하는 요인으로는 '자세와 태도'가 가장 중요하고, 이어서 '표정', '대답 내용', '말투'가 뒤를 이었다. 따라서 면접을 볼 때에는 앉아서 다리를 떨거나 머리카락을 만지는 불필요한 행동을 주의하고, 정확하고 바른 말을 사용해서 질문에 대답하는 연습을 해야 한다.

| 쓰기 | 2번 | 17쪽 |

1) 신입 사원을 뽑는 담당자 883명을 대상으로
2) 조사 결과에 따르면
3) 첫인상이 면접에서 큰 영향을 미친다는 것을 알 수 있다
4) 면접을 볼 때에 좋은 첫인상을 보여 주기 위해서는
5) 정확하고 바른 말을 사용해서 질문에 대답하는 연습을 해야 한다

03 🖊 사업을 시작할까 아니면 회사에 취직할까 고민이야

문법 | 1번 | 18쪽

2) 전국을 일주할까 해외여행을 갈까
3) 꽃병을 저쪽으로 옮길까 그대로 둘까
4) 다른 사람의 도움을 받을까 혼자서 해 볼까
5) 케이크를 직접 만들까 빵집에 가서 사 올까
6) 인터넷 강의를 들을까 혼자 공부를 할까

문법 | 2번 | 18쪽

1) 내가 먼저 연락할까 친구의 연락을 기다릴까 아직 결정을 못 했어요
2) 집값이 싼 곳으로 이사할까 학교 근처로 이사할까 잘 모르겠어요
3) 유럽으로 유학을 갈까 말까 정말 모르겠어요
4) 이 수업을 계속 들을까 말까 고민이에요

문법 | 3번 | 18쪽

[예시]
1) 이 길로 쭉 가 볼까 사람들에게 길을 물어볼까 고민하고 있었다
2) 드라마를 계속 볼까 여기까지만 볼까 생각 중이다
3) 남자 친구와 헤어질까 말까 정말 모르겠다
4) 방학 동안 여행을 갈까 말까 아직 결정을 못 했다

대화 속 문법 | 1번 | 19쪽

1) 가벼운 운동을 꾸준히 해 보지 그래요
2) 한국인이 많은 동아리에 가 보지 그래요
3) 아르바이트를 찾아보지 그래요
4) 취미를 만들어 보지 그래요
5) 다른 회사를 알아보지 그래요

대화 속 문법 | 2번 | 19쪽

[예시]
1) 전공이 맞지 않으면 다른 전공으로 바꾸지 그래요
2) 요즘 잠을 잘 못 자면 커피를 끊어 보지 그래요
3) 인터넷 방송에 관심이 있으면 인터넷 개인 채널을 만들어 보지 그래요
4) 기분이 우울하면 햇빛을 쬐며 걸어 보지 그래요

어휘와 표현 | 1번 | 20쪽

1) 경제적인 상황이 좋지 않다
2) 업무량이 너무 많다
3) 미래가 불안하다
4) 인간관계가 어렵다
5) 진로를 정하지 못하다

어휘와 표현 | 2번 | 20쪽

1) 미래가 불안하다
2) 업무량이 너무 많아서
3) 연애를 하고 싶어도
4) 인간관계가 어렵다
5) 직장 생활이 맞지 않는

듣고 말하기 | 1번 | 21쪽

동아리 대표를 할까 말까 고민하고 있다.

듣고 말하기 | 2번 | 21쪽

1) 우리 동아리의 새로운 대표를 뽑아야 하거든
2) 동아리 대표를 잘할 수 있을까
3) 너라면 당연히 잘할 수 있지
4) 괜히 시간을 낭비하는 것은 아닐까 걱정이 돼
5) 동아리 대표를 해 보는 것은 아주 좋은 경험이 될 거야

읽기 | 1번 | 22쪽

1) ④   2) ③

쓰기 | 1번 | 21쪽

[예시]
　대학 졸업반 학생인 '행복한 호랑이'는 인터넷 게시판에 고민을 상담하고 있다. '행복한 호랑이'는 회사 두 군데에 합격했는데 둘 중에 어디에 갈지 고민하고 있다. 한 회사는 규모도 크고 안정적이지만 원하는 업무를 할 수 있을 것 같지 않고, 다른 회사는 원하는 업무를 할 수 있지만 회사가 좀 작고 월급이 적다. '행복한 호랑이'에게 '검은 콩'은 회사가 작아도 재미있는 일을 하는 것이 좋다고 조언하였다. 그리고 '푸른 바다'는 안정적인 직장에서 원하는 업무로 바꿀 수 있도록 노력하는 것이 좋겠다고 조언하였다.

쓰기 | 2번 | 23쪽

1) 이 회사에 갈까 저 회사에 갈까 행복한 고민에 빠졌습니다
2) 제가 원하는 업무를 할 수 있을까요
3) 회사가 좀 작아도 재미있는 일을 하는 것이 좋습니다
4) 안정적인 직장을 선택하는 게 좋을 것 같습니다
5) 회사에 들어가서 일하다가 원하는 업무로 바꿀 수 있도록 노력하면 됩니다

04 🖊 그때 그 꿈을 포기하지 말았어야 했는데

문법 | 1번 | 24쪽

2) 공연을 꼭 보러 갔어야 했는데
3) 건강을 잘 돌봤어야 했는데
4) 남은 음식을 빨리 먹었어야 했는데

5) 신중하게 생각했어야 했는데

6) 강의를 열심히 들었어야 했는데

7) 좀 더 서둘렀어야 했는데

문법   2번   24쪽

2) 그냥 길을 물어봤어야 했는데 후회가 돼요

3) 친구들과 사진을 더 많이 찍었어야 했는데 후회가 돼요

4) 저축을 꾸준히 했어야 했는데 후회가 돼요

5) 그때 친구 말을 무시하지 않았어야 했는데 후회가 돼요

문법   3번   24쪽

[예시]

1) 음식을 조금만 먹었어야 했는데 배가 너무 고파서 과식했다

2) 두꺼운 옷을 입었어야 했는데 옷을 얇게 입어서 너무 춥다

3) 일찍 출발했어야 했는데 집에서 천천히 나와서 기차를 놓쳤다

4) 어제 표를 예매했어야 했는데 지금은 표가 다 팔려서 기차를 탈 수 없게 되었다

대화 속 문법   1번   25쪽

2) 외국으로 유학을 갔을 텐데.

3) 시험을 잘 봤을 텐데.

4) 담배를 끊었을 텐데.

5) 오디션에 합격했을 텐데.

6) 몸이 건강해졌을 텐데.

7) 휴대폰을 싸게 살 수 있었을 텐데.

대화 속 문법   2번   25쪽

2) 알람이 울렸을 때 일어났으면 지각하지 않았을 텐데

3) 쇼핑을 많이 하지 않았으면 생활비가 부족하지 않았을 텐데

4) 작년에 쉴 때 여행을 다녀왔으면 정말 좋았을 텐데

5) 고향 근처에 취직했으면 부모님과 자주 시간을 보낼 수 있었을 텐데

대화 속 문법   3번   25쪽

[예시]

1) 어제 일찍 잤으면 회의 시간에 졸지 않았을 텐데 너무 늦게 잤다

2) 그때 고백했으면 그 사람과 사귀었을 텐데 용기가 없었다

3) 미리 일을 해 두었으면 밤에 쉴 수 있었을 텐데 너무 후회가 된다

4) 앞을 잘 보면서 걸었으면 넘어지지 않았을 텐데 휴대폰을 보면서 걷다가 넘어졌다

어휘와 표현   1번   26쪽

1) 실수를 저지르다

2) 다른 사람에게 상처를 주다

3) 최선을 다하지 못하다

4) 신중하게 결정하지 못하다

5) 기회를 놓치다

어휘와 표현   2번   26쪽

1) 다른 사람의 시선을 너무 신경 쓰는

2) 기회를 놓치는

3) 실수를 저지를

4) 화를 참지 못하고

5) 다른 사람에게 상처를 주는

듣고 말하기   1번   27쪽

가족들에게 잘해 주지 못한 것(가족들과 시간을 많이 보내지 못한 것, 아버지께서 돌아가셨는데 한국에 있지 못해서 아버지께 마지막 인사도 못한 것)

듣고 말하기   2번   27쪽

1) 아주 성공적이었다는 평가를 받고 있는데요

2) 열심히 준비해서 후회 없는 공연이 된 것 같아요

3) 가족들에게 잘해 주지 못한 게 제일 후회돼요

4) 가족들과 시간을 많이 보냈어야 했는데 그러지 못했어요

5) 한국에 있었다면 아버지를 돌봐 드릴 수 있었을 텐데 너무 후회가 됩니다

읽기   1번   28쪽

1) ④   2) ④

쓰기   1번   29쪽

[예시]

　　10대부터 60대까지 남녀 2,000명에게 인생에서 가장 후회되는 일에 대해 물었다. 그 결과 10~20대는 '공부를 열심히 하지 않은 것'이 가장 후회된다고 답했다. 그리고 '부모님 말씀을 잘 듣지 않은 것', '친구와 싸운 것'이 뒤를 이었다. 30~40대도 공부라는 대답이 가장 많았다. 그러나 2, 3위는 '돈을 모으지 않은 것', '여행을 많이 하지 않은 것' 등으로 달라졌다. 50~60대는 '돈을 열심히 모으지 않은 것', '자녀 교육에 더 신경 쓰지 못한 것', '건강을 돌보지 않은 것' 등이 후회된다고 답했다.

쓰기   2번   29쪽

1) '공부를 열심히 하지 않은 것'이 가장 후회된다고 답했다

2) '친구와 싸운 것'이 후회된다는 대답이 뒤를 이었다

3) '돈을 열심히 모으지 않은 것'이 후회된다는 대답이 가장 많았다

4) 공부할 수 있을 때 열심히 했어야 했는데

5) 돈을 모을 수 있을 때 열심히 모았어야 했는데

05 40대는 청소년들에 비해서 결혼을 해야 한다는 응답이 많았습니다

문법 1번 30쪽

1) 말하기 시험은 읽기 시험에 비해서 항상 더 어려워요
2) 태블릿 PC는 노트북에 비해서 작고 가벼워요
3) 이번 겨울에는 작년 겨울에 비해서 눈이 많이 오지 않는 것 같아요
4) 지금 다니는 회사는 예전에 다니던 회사에 비해서 월급이 많아요
5) 요즘에는 예전에 비해서 도시를 떠나 시골에서 사는 젊은 사람들이 많은 것 같아요

문법 2번 30쪽

[예시]
1) 이 음식점은 소문에 비해서 맛이 그저 그렇다
2) 어제 산 가방은 가격에 비해서 품질이 별로이다
3) 한국어 실력이 노력에 비해서 늘지 않아서 고민이다
4) 요즘 젊은 사람들은 과거에 비해서 텔레비전을 잘 안 본다

대화 속 문법 1번 31쪽

2) 범인을 반드시 잡아야지
3) 방을 깨끗하게 치워야지
4) 환경을 지켜야지
5) 진로에 대해 고민해야지
6) 매일 한국 음악을 들어야지
7) 논문을 열심히 써야지

대화 속 문법 2번 31쪽

1) 게임은 적당히 해야지
2) 반장으로서 책임감을 느껴야지
3) 감기에 걸리지 않으려면 옷을 더 따뜻하게 입어야지
4) 몸이 아프면 참지 말고 얼른 병원에 가야지

대화 속 문법 3번 31쪽

[예시]
1) 내일부터 열심히 운동해야지
2) 이번에는 꼭 선생님과 한 약속을 지켜야지
3) 앞으로 절대 술을 마시지 않아야지
4) 오늘 밤부터 야식을 먹지 말아야지

어휘와 표현 1번 32쪽

1) 구세대   2) 청소년
3) 사춘기   4) 신세대
5) 아동

어휘와 표현 2번 32쪽

1) 청년   2) 노인
3) 중년   4) 보수적
5) 개혁적

듣고 말하기 1번 33쪽

여자는 결혼식에 가까운 친척들만 초대하고 싶지만 부모님은 큰 호텔을 빌려서 사람들을 많이 초대하고 싶어 하신다.

듣고 말하기 2번 33쪽

1) 생각보다 어려운 점이 많네
2) 부모님하고 결혼식에 대한 생각이 많이 달라서
3) 가까운 친척들만 초대하고 싶거든
4) 젊은이들에 비해서 그동안 해 오던 방식대로 결혼식을 해야 한다고 생각하는 것 같아
5) 친구나 회사 동료까지 모두 초대해서 큰 규모로 하는

읽기 1번 34쪽

1) ④   2) ①

쓰기 1번 35쪽

[예시]
　세대별로 선호하는 에스엔에스(SNS)와 소통 방식이 다르다는 조사 결과가 발표되었다. 선호하는 에스엔에스(SNS)의 경우 20~30대는 동영상이나 사진을 올리는 에스엔에스(SNS), 10대 청소년은 메시지를 쉽게 주고받을 수 있는 에스엔에스(SNS)를 주로 사용하였다. 40~50대는 모임에서 주로 사용하는 에스엔에스(SNS)를 많이 사용했다. 소통 방식도 차이를 보였는데 40대 이상은 음성 통화를 가장 자주 사용하고, 10~30대는 문자 메시지를 가장 활발하게 사용한다고 응답하였다.

쓰기 2번 35쪽

1) 세대별로 선호하는 에스엔에스(SNS)와 소통 방식이 다르다
2) 가장 적은 세대는 50대 이상으로 나타났다
3) 모임에서 주로 사용하는 에스엔에스(SNS)를 가장 많이 사용했다
4) 일상적인 소통을 위해서 음성 통화를 가장 자주 사용하는 반면에
5) 음성 통화보다는 문자 메시지를 가장 활발하게 사용한다고

06 식당에서 직원을 어떻게 부르는지 알아요?

문법 1번 36쪽

2) 비빔밥을 어떻게 먹는지 알다
3) 입장료가 얼마인지 알다
4) 무슨 색깔이 좋은지 알다
5) 미술관이 몇 시에 문을 여는지 알다
6) 병원에 왜 입원했는지 알다
7) 교실에 누가 있는지 알다

문법　2번　36쪽

1) 한국 사람들은 추석에 무엇을 먹는지 알아요
2) 부산 사투리가 표준어와 어떻게 다른지 알아요
3) 한국 대통령이 누구인지 알아요
4) 그 사람이 왜 회사를 옮겼는지 알아요

문법　3번　36쪽

[예시]
1) 휴대폰 앱으로 어떻게 음식을 배달시키는지 알아요
2) 강원도에서 어떤 음식이 유명한지 잘 몰라요
3) 설날에 떡국을 먹고 싶은데 어떻게 만드는지 잘 모르겠어요
4) 이번 주말에 열리는 행사에 어떻게 참가하는지 알아요

대화 속 문법　1번　37쪽

2) 이번에 장학금을 받는다면서요?
3) 오늘 밤에 폭설이 내린다면서요?
4) 인천은 서울과 가깝다면서요?
5) 제주도는 공기가 깨끗하다면서요?
6) 유명한 축구 선수라면서요?
7) 큰 수술을 받았다면서요?

대화 속 문법　2번　37쪽

1) 서울은 부산보다 훨씬 춥다면서요
2) 해리 씨가 다이어트를 해서 아주 날씬해졌다면서요
3) 비가 너무 많이 와서 야구 경기가 취소되었다면서요
4) 요즘 환경을 생각해서 일회용 컵을 사용하지 않는 사람들이 많다면서요

대화 속 문법　3번　37쪽

[예시]
1) 이번에 유진 씨가 대학을 졸업한다면서요
2) 한국에는 24시간 문을 여는 가게가 많다면서요
3) 한국에서는 나이를 세는 방법이 다른 나라와 차이가 있다면서요
4) 어제 폭우가 내려서 교통사고가 많이 났다면서요

어휘와 표현　1번　38쪽

1) 정이 많다
2) 숟가락과 젓가락을 사용하다
3) 지역 사투리가 있다
4) 웃어른을 존경하다
5) 반말과 높임말이 있다

어휘와 표현　2번　38쪽

1) '나'보다 '우리'를 중요하게 생각하는
2) 가족을 부르는 말이 다양하다
3) 정이 많은
4) 웃어른을 존경하는
5) 윗사람 앞에서 술을 마실 때 고개를 돌려서

듣고 말하기　1번　39쪽

윗사람 앞에서 술을 마실 때는 고개를 돌리고 마시는 것

듣고 말하기　2번　39쪽

1) 한국 사람들은 사진을 찍을 때 뭐라고 하는지 알아요
2) 한국 친구 집에도 갔었다면서요
3) 친구 부모님께서 정이 많은 분들이셨어요
4) 한국에서는 집 안에서 신발을 벗고 생활한다고 들었어요
5) 고개를 돌리고 마시는 거라고 알려 주셨는데

읽기　1번　40쪽

1) ②　　　　　　　　　　　2) ②

쓰기　1번　41쪽

[예시]
　나라마다 문화가 다른 것처럼 선물 문화도 조금씩 다르다. 우선 중국 사람들은 빨간색이 행운을 가져온다고 생각해서 선물을 빨간색으로 포장하는 것을 좋아한다. 인도네시아에서는 개를 부정적인 동물로 여기기 때문에 강아지 그림이 들어간 물건은 피하는 것이 좋다. 또 인도네시아에서는 선물을 바로 확인하지 않는 것이 좋고 이탈리아에서는 바로 풀어 보는 것이 좋다. 프랑스에서는 빨간 장미는 사랑하는 연인 사이에서만 주고받는다. 러시아에서 노란색 꽃은 이별을 의미하기 때문에 피해야 한다.

쓰기　2번　41쪽

1) 빨간색이 행운을 가져온다고 생각하기 때문이다
2) 강아지 그림이 들어간 물건은 피하는 것이 좋다
3) 꽃을 선물할 때도 나라별로 조심해야 하는 것이 있다
4) 빨간 장미를 함부로 선물하면 안 된다
5) 노란색 꽃은 이별을 의미하기 때문에 피해야 한다

07 ✎　저는 하늘길을 관리하는 일을 합니다

문법　1번　42쪽

1) 이 드라마는 대본을 쓰는 데에 1년이 넘게 걸렸어요
2) 환경을 보호하는 데에 도움이 되는 일을 하고 싶어요
3) 누군가와 같이 사는 데에 노력이 많이 필요해요
4) 이 훈련은 기억력을 향상시키는 데에 큰 도움이 돼요
5) 이 음식은 면역력을 좋아지게 하는 데에 아주 효과적이에요

[예시]

1) 이 책은 상식을 쌓는 데에 매우 좋다

2) 개인 컵 사용은 일회용 쓰레기를 줄이는 데에 아주 효과적이다

3) 이 운동은 다리를 튼튼하게 하는 데에 도움이 된다

4) 요리를 해 본 적이 없어서 음식을 만드는 데에 시간이 오래 걸렸다

대화 속 문법 | 1번 | 43쪽

1) 10년 넘게 고향을 떠나서 살다 보니 이제 고향에 가면 어색해요

2) 하루하루 최선을 다해 일하다 보니 20년이 지났어요

3) 매일 인터넷으로 강의를 듣다 보니 익숙해져서 아주 편해요

4) 시험에 계속 떨어지다 보니 자신감이 없어졌어요

5) 식사를 제대로 못 하다 보니 건강이 안 좋아졌어요

대화 속 문법 | 2번 | 43쪽

[예시]

1) 포기하지 않고 노력하다 보니 꿈이 이루어졌다

2) 말을 안 하고 혼자 참다 보니 마음의 병이 생겼다

3) 외국어가 재미있어서 계속 배우다 보니 5개 국어를 할 수 있게 되었다

4) 일이 많아서 여러 사람이 나눠서 하다 보니 빨리 끝났다

어휘와 표현 | 1번 | 44쪽

1) 개발하다   2) 관리하다

3) 창조하다   4) 홍보하다

5) 해결하다

어휘와 표현 | 2번 | 44쪽

1) 제작할   2) 창조하는

3) 제공해   4) 관리할

5) 홍보할

듣고 말하기 | 1번 | 45쪽

고객들과 직접 소통하고 고객들의 뜻을 모아서 회사에 알리는 일을 한다.

듣고 말하기 | 2번 | 45쪽

1) 6개월 정도 일하다 보니 적응이 좀 된 것 같아

2) 고객 관리팀 일이 쉽지 않았을 텐데…

3) 고객들이 원하는 게 뭔지도 더 잘 알게 되고

4) 회사가 발전하는 데에 제일 중요한 일이잖아

5) 제품이나 서비스가 더 좋아지는 걸 보면 정말 보람 있어

읽기 | 1번 | 46쪽

1) ③   2) ②

쓰기 | 1번 | 47쪽

[예시]

　영화를 보고 영화의 좋았던 점과 아쉬웠던 점에 대해서 이야기하는 직업이 '영화 평론가'이다. 영화 평론가는 작품에 담긴 의미를 분석하고 평가하며 영화 분야가 발전하는 데에 큰 역할을 한다. 영화 평론가가 되기 위해서는 영화에 대한 전문 지식을 풍부하게 갖추어야 하고 작품을 분석적이고 창의적으로 바라보는 태도가 필요하다. 또한 논리적인 글쓰기 실력과 의사소통 능력도 반드시 갖추어야 한다.

쓰기 | 2번 | 47쪽

1) 영화를 보고 그것에 대해서 평가하는 행동을 평론이라고 한다

2) 작품에 담긴 의미를 분석하고 평가한다

3) 영화 분야가 발전하는 데에 큰 역할을 한다

4) 분석적이고 창의적으로 바라보는 태도가 필요하다

5) 논리적인 글쓰기 실력과 의사소통 능력을 반드시 갖추어야 한다

08 ✏️ 삶에 대한 가르침을 줬다는 점에서 존경을 받습니다

문법 | 1번 | 48쪽

2) 주로 농사를 짓는다는 점에서

3) 정확한 판단력이 필요하다는 점에서

4) 빠르게 문제를 해결한다는 점에서

5) 그 프로그램은 무료라는 점에서

6) 쉽게 정보를 찾을 수 있다는 점에서

7) 평생 번 돈을 기부했다는 점에서

문법 | 2번 | 48쪽

2) 그 책은 인생에 꼭 필요한 교훈을 알려 준다는 점에서 읽어 볼 만하다

3) 온라인 쇼핑은 집에서 편리하게 물건을 살 수 있다는 점에서 인기가 많다

4) 견과류는 암 예방에 도움이 된다는 점에서 큰 주목을 받고 있다

5) 그 영화는 현재 한국 사회를 잘 반영했다는 점에서 큰 의미가 있다

문법 | 3번 | 48쪽

[예시]

1) 경찰은 국민의 생명과 재산을 보호한다는 점에서 꼭 필요한 직업이다

2) 그 유적은 역사적으로 큰 가치가 있다는 점에서 소중하게 보호되어야 한다

3) 그 방법은 불면증 치료에 효과적이라는 점에서 많은 사람들의 관심을 받고 있다

4) 나와 친구는 운동하는 것을 좋아한다는 점에서 서로 잘 통한다

대화 속 문법 | 1번 | 49쪽

2) 많은 사람들의 도움을 받은 결과

3) 위기를 잘 극복한 결과

4) 경제가 나빠진 결과

5) 절약하는 습관을 들인 결과

6) 매일 30분씩 걸은 결과

7) 다른 사람을 위해 봉사한 결과

대화 속 문법 | 2번 | 49쪽

2) 작은 것에 감사하는 마음을 가진 결과 삶이 행복해졌다

3) 그 선수는 꾸준히 재활 훈련을 한 결과 다친 어깨를 회복할 수 있었다

4) 그 사람은 포기하지 않고 영화를 만든 결과 아카데미상을 수상했다

5) 새로 개발된 프로그램을 직접 사용해 본 결과 문제점을 찾을 수 있었다

대화 속 문법 | 3번 | 49쪽

[예시]

1) 연습을 많이 한 결과 떨지 않고 발표를 하였다

2) 다양한 분야의 책을 많이 읽은 결과 상식을 많이 쌓을 수 있었다

3) 여러 번 소개팅을 한 결과 정말 마음에 드는 사람을 만났다

4) 수업을 집중해서 들은 결과 시험에서 좋은 성적을 거뒀다

어휘와 표현 | 1번 | 50쪽

1) 몸소 실천하다

2) 인간의 한계에 도전하다

3) 세계 평화에 기여하다

4) 나라를 위기에서 구하다

5) 백신을 개발하다

어휘와 표현 | 2번 | 50쪽

1) 훌륭한 예술 작품을 남긴

2) 새로운 물건을 발명한

3) 많은 사람의 생명을 구하기

4) 권리 보호에 앞장서는

5) 몸소 실천하며

듣고 말하기 | 1번 | 51쪽

병의 치료법을 연구하고 약을 발명하면서 삶의 대부분을 보냄. 전염병 치료에 힘쓴 결과 많은 사람들의 생명을 구함. 〈동의보감〉뿐만 아니라 상처를 입었을 때 스스로 치료하는 방법을 알려 주는 책도 썼음.

듣고 말하기 | 2번 | 51쪽

1) 20대가 가장 존경하는 인물로 선정되셨는데요

2) 제가 가장 존경하는 인물은 조선 시대의 유명한 의사인

3) 병의 치료법을 연구하고 약을 발명하면서

4) 전염병 치료에 힘쓴 결과 많은 사람들의 생명을 구할 수 있었죠

5) 평생 동안 병의 치료법을 연구했다는 점에서

읽기 | 1번 | 52쪽

1) ②　　　　　　　　　　　2) ③

쓰기 | 1번 | 53쪽

[예시]

　나는 사람들의 존경을 받을 만한 직업 중에 빼놓을 수 없는 직업이 바로 농부라고 생각한다. 우리가 먹는 음식의 원료는 대부분 농부의 노력으로 생산되는 것이다. 열심히 일해서 사람들에게 좋은 음식을 제공한다는 점에서 농부는 존경 받을 만한 직업이다. 농부는 1년 내내 땀 흘리며 노력해야 좋은 농산물을 생산할 수 있다. 일한 만큼 결과를 얻는다는 점에서 농부는 매우 정직한 직업이다.

쓰기 | 2번 | 53쪽

1) 농부는 농사를 지어 곡식, 채소, 과일 등을 생산한다

2) 음식의 원료는 대부분 농부의 노력으로 생산되는 것이다

3) 농부가 부지런히 일하고 계속해서 관심을 가져야 농사가 잘된다는 뜻이다.

4) 땀 흘리며 노력해야 좋은 농산물을 생산할 수 있게 된다

5) 일한 만큼 결과를 얻는다는 점에서 농부는 매우 정직한 직업이다

---

09 🖉　갈수록 현금을 사용하는 사람들이 줄어들고 있습니다

문법 | 1번 | 54쪽

2) 일찍 잠자리에 들수록

3) 편리한 기능이 많을수록

4) 첫인상이 별로일수록

5) 밤늦게까지 일을 할수록

6) 궁금한 점에 대해서 물을수록

7) 다른 사람의 조언을 많이 들을수록

문법 | 2번 | 54쪽

1) 휴대폰을 자주 사용할수록 눈이 나빠져요

2) 교통이 불편할수록 집값이 저렴해요

3) 혼자 있을수록 생각이 많아져서 힘들어요

4) 시험 문제가 쉬울수록 학생들이 공부를 하지 않아요

문법 | 3번 | 54쪽

[예시]

1) 방이 넓을수록 청소하기가 힘들어요

2) 작품을 발표할수록 유명해져요

3) 스트레스를 받을수록 건강이 나빠져요

4) 걸을수록 몸이 건강해져요

| 대화 속 문법 | 1번 | 55쪽 |

2) 유명 배우가 출연했으나

3) 여행자들로 붐비나

4) 첫인상이 날카로우나

5) 인구가 많은 도시이나

6) 그는 시골에서 컸으나

7) 여러 번 흥행에 실패했으나

| 대화 속 문법 | 2번 | 55쪽 |

1) 전자책은 많이 읽으나 종이책은 거의 읽지 않습니다

2) 인스턴트 음식은 요리하기가 쉬우나 건강에 좋지 않습니다

3) 그 사람은 엄청난 부자였으나 평생 절약을 몸소 실천하였습니다

4) 담배를 끊고 싶으나 생각처럼 잘 되지 않습니다

| 대화 속 문법 | 3번 | 55쪽 |

[예시]

1) 친구는 시험을 열심히 준비했으나 떨어졌다

2) 지금 다니는 회사는 일은 어렵지 않으나 월급이 적다

3) 이 옷은 오래되었으나 관리를 잘해서 아주 깨끗하다

4) 그 사람은 오랫동안 치료를 받았으나 결국 세상을 떠났다

| 어휘와 표현 | 1번 | 56쪽 |

1) 변화하다　　　　　　　2) 꾸준히

3) 증가하다　　　　　　　4) 급격히

5) 감소하다

| 어휘와 표현 | 2번 | 56쪽 |

1) 급격히　　　　　　　　2) 늘어나고

3) 줄어들기　　　　　　　4) 달라지고

5) 점점

| 듣고 말하기 | 1번 | 57쪽 |

가게에 직접 가서 물건을 사지 않고 컴퓨터나 휴대폰으로 쇼핑을 하는 온라인 쇼핑이 꾸준히 증가하고 있다는 것

| 듣고 말하기 | 2번 | 57쪽 |

1) 이 온라인 쇼핑의 인기가 높아지고 있다는 소식입니다

2) 조사에 따르면 온라인 쇼핑이 꾸준히 증가하고 있는 것으로 나타났습니다

3) 온라인 쇼핑으로 사는 물건의 종류도 매우 다양해졌습니다

4) 이제는 식품까지도 온라인으로 구매하는 경우가 늘어나고 있습니다

5) 앞으로도 온라인 쇼핑의 인기는 갈수록 높아질 것으로 보입니다

| 읽기 | 1번 | 58쪽 |

1) ④　　　　　　　　　　2) ③

| 쓰기 | 1번 | 59쪽 |

[예시]

　손님들이 점원의 도움을 받지 않고도 스스로 물건값을 계산할 수 있는 무인 계산대가 늘어나고 있다. 특히 패스트푸드점에서 많이 사용되고 있는데, 한 패스트푸드 회사는 거의 대부분의 매장에서 무인 계산대를 사용하고 있다. 또 최근에는 편의점을 중심으로 매장에 점원이 한 명도 없는 무인 매장도 늘어나고 있다. 이처럼 무인 계산대와 무인 매장이 늘어날수록 일자리가 점점 줄어들기 때문에 이에 대한 준비가 필요하다.

| 쓰기 | 2번 | 59쪽 |

1) 무인 계산대를 사용하는 가게의 수가 급격히 늘어나고 있다

2) 점원의 도움을 받지 않고도 스스로 물건값을 계산할 수 있다

3) 전체 매장 중 92.4%에서 무인 계산대를 사용하는 것으로 나타났으며

4) 점원이 한 명도 없는 무인 매장도 늘어나고 있다

5) 특히 편의점을 중심으로 많이 생기고 있다

10 저는 인터넷에서 실명을 써야 한다고 생각해요

| 문법 | 1번 | 60쪽 |

2) 시간이 정말 빠르게 흐른다고 생각하다

3) 한국은 24시간 영업하는 가게가 많다고 생각하다

4) 그 작가의 작품은 특별하다고 생각하다

5) 그래서 소형 아파트가 인기를 끈다고 생각하다

6) 환경 오염이 심각한 상황이라고 생각하다

7) 외국인 유학생이 증가했다고 생각하다

| 문법 | 2번 | 60쪽 |

1) 한 가지 일에 집중하는 것이 필요하다고 생각해요

2) 이번에 나온 그 노래가 들을 만하다고 생각해요

3) 한국 음식이 생각보다 맵지 않다고 생각해요

4) 제가 원하는 삶을 살고 있다고 생각해요

| 문법 | 3번 | 60쪽 |

[예시]

1) 저는 전공을 선택할 때에 적성이 가장 중요하다고 생각해요

2) 저는 집에서 일하는 게 훨씬 효과적이라고 생각해요

3) 저는 어려운 이웃들에게 관심을 많이 가져야 한다고 생각해요

4) 저는 그 광고가 회사 이미지에 도움이 되었다고 생각해요

2) 스트레스를 많이 받은 거 아닐까 해요
3) 외로움을 많이 느낀 거 아닐까 해요
4) 상한 음식을 먹은 거 아닐까 해요
5) 슬럼프가 찾아온 거 아닐까 해요
6) 성격이 아주 솔직한 거 아닐까 해요
7) 안내 방송을 못 들은 거 아닐까 해요

1) 오늘도 일이 많아서 야근을 한 거 아닐까 해요
2) 매일 밤 라면을 먹고 자서 살이 찐 거 아닐까 해요
3) 배우 김민수 씨의 연기가 훌륭해서 그 영화가 인기가 많은 거 아닐까 해요
4) 오늘 박물관이 쉬는 날이라서 전화를 안 받은 거 아닐까 해요

[예시]
1) 갑자기 날씨가 더워져서 수영장을 찾는 사람들이 늘어난 거 아닐까 해요
2) 컴퓨터 게임을 너무 많이 해서 눈이 안 좋아진 거 아닐까 해요
3) 이번 달에 쇼핑을 너무 많이 해서 돈이 부족한 거 아닐까 해요
4) 시험을 못 봐서 표정이 어두운 거 아닐까 해요

1) 반대하다   2) 장점이 있다
3) 찬성하다   4) 부적절하다
5) 부작용이 생기다

1) 동의하지만   2) 부작용이 생기게
3) 틀린   4) 맞고
5) 적절한

채식을 하는 것이 건강에 좋은 것 같다.
채식이 환경을 보호하는 데에도 효과가 있다.

1) 채식을 하는 것이 건강에 좋은 것 같아서요
2) 여러 가지 병에 걸리기 쉽다고 들었어요
3) 오히려 건강에 해로운 거 아닐까 하는데요
4) 환경을 보호하는 데에도 효과가 있기 때문이에요
5) 채식은 여러 장점이 있다고 생각해요

1) ①   2) ②

[예시]
　나는 재택근무를 늘리는 것에 찬성한다. 재택근무를 하면 출퇴근을 하지 않아도 되기 때문에 가족들과 함께 하거나 자신의 발전을 위한 시간을 더 많이 가질 수 있다. 또한 온라인 회의를 통해 회사에 가지 않아도 다른 사람과 서로 소통할 수 있으며, 사무실 공간을 많이 만들지 않아도 되기 때문에 비용도 절약할 수 있다. 반드시 만나서 해야 할 일은 출근하는 날을 정하면 된다. 집에서 각자 일을 하다가 정해진 날에만 만나서 함께 일을 하면 된다고 생각한다.

1) 나는 회사에서 재택근무를 늘리는 것에 찬성한다
2) 회사에 출근하지 않고 집에서 일하는 제도이다
3) 자신의 발전을 위한 시간을 더 많이 가질 수 있다
4) 회사에 가지 않아도 다른 사람과 서로 소통할 수 있다
5) 정기적으로 출근하는 날을 정하면 해결할 수 있는 거 아닐까 한다

11 10년 후엔 행복한 가정을 이루고 있지 않을까 싶어요

2) 학교까지 걸어서 가면 너무 멀지 않을까 싶어요
3) 연애와 결혼은 정말 다르지 않을까 싶어요
4) 내일쯤이면 택배가 오지 않을까 싶어요
5) 그때쯤이면 한창 신나게 콘서트를 즐기고 있지 않을까 싶어요
6) 그 사람은 이미 병이 다 낫지 않았을까 싶어요

[예시]
1) 다음 달이 되면 그 가수의 새 앨범이 나오지 않을까 싶어요
2) 조금만 더 노력하면 원하는 결과를 얻지 않을까 싶어요
3) 이번에도 우승을 못 하면 사람들이 너무 실망하지 않을까 싶어요
4) 파리로 신혼여행을 가면 정말 낭만적이지 않을까 싶어요

1) 책을 살 때 서점에 직접 가기보다는 온라인 서점을 이용해요 / 책을 살 때 온라인 서점을 이용하기보다는 서점에 직접 가요
2) 길을 모르면 사람들에게 물어보기보다는 인터넷 지도를 찾아봐요 / 길을 모르면 인터넷 지도를 찾아보기보다는 사람들에게 물어봐요
3) 한국 생활이 외롭기보다는 재미있어요 / 한국 생활이 재미있기보다는 외로워요
4) 우울하면 혼자 있기보다는 친구와 만나서 이야기해요 / 우울하면 친구와 만나서 이야기하기보다는 혼자 있어요
5) 좋아하는 사람이 있으면 고백을 기다리기보다는 먼저 고백해요 / 좋아하는 사람이 있으면 먼저 고백하기보다는 고백을 기다려요

[예시]

1) 저는 한 회사에서 계속 일하기보다는 다양한 일을 자유롭게 하고 싶어요

2) 저는 많은 돈을 벌기보다는 좋아하는 일을 하고 싶어요

3) 저는 이번 학기가 끝나면 해외로 여행을 가기보다는 봉사 활동을 할 거예요

4) 저는 혼자 사는 것이 걱정되기보다는 설레요

어휘와 표현 | 1번 | 68쪽

1) 노후를 보내다   2) 아이를 기르다

3) 독립하다   4) 출산하다

5) 은퇴하다

어휘와 표현 | 2번 | 68쪽

1) 입사하고   2) 가정을 이루고

3) 도전하는   4) 진학하는

5) 창업하거나

듣고 말하기 | 1번 | 69쪽

대학을 졸업한 후에 대학원에 진학해서 전문적인 지식을 배울 것이다. 대학원을 졸업한 후에 회사에 입사해서 경험을 쌓고 고향으로 돌아가서 회사를 창업할 것이다.

듣고 말하기 | 2번 | 69쪽

1) 대학을 졸업한 후에는 무엇을 하려고 합니까

2) 바로 취직하기보다는 대학원에 진학해서 공부를 더 하고 싶습니다

3) 대학원을 졸업한 후에는 먼저 회사에 입사해서 경험을 쌓을 것입니다

4) 창업에 큰 도움이 되지 않을까 싶습니다

5) 대학원까지 졸업하려면 시간이 좀 있으니까 천천히 생각해 보려고 합니다

읽기 | 1번 | 70쪽

1) ③   2) ①

쓰기 | 1번 | 71쪽

[예시]

　오늘 수업 시간에 '10년 후의 나의 모습'을 주제로 발표했는데 대부분의 친구들이 10년 후에는 사랑하는 사람과 결혼해서 아이를 낳고 행복하게 살 거라고 했다. 나는 혼자 하고 싶은 일을 하면서 사는 것이 더 행복하다고 생각해 왔는데 친구들의 발표를 듣고 가정을 이루는 것도 행복하지 않을까 싶었다. 곧 졸업을 하니까 이후의 삶에 대해 구체적으로 결정해야 한다. 10년 후의 나는 어떤 모습으로 살아야 할지 좀 더 많은 생각을 해 봐야겠다.

쓰기 | 2번 | 71쪽

1) 가족과 함께 행복한 시간을 보낼 거라고 했다

2) 아이를 낳기보다는 하고 싶은 일을 하면서 열심히 사는 것이

3) 가정을 이루고 자녀들을 키우며 살아가는 미래의 삶도 행복하지 않을까 싶었다

4) 먼 미래의 일이라서 충분한 고민을 하지 않고

5) 구체적으로 결정해야 할 시기가 되었다

12 🖉　벌써 졸업을 한다니! 믿기지가 않습니다

문법 | 1번 | 72쪽

2) 내가 마라톤에 도전하다니!

3) 형제인데 이렇게 성격이 다르다니!

4) 문을 연 가게가 없다니!

5) 한 달 동안 휴가라니!

6) 지난달에 출산을 했다니!

7) 곧 예약이 마감된다니!

문법 | 2번 | 72쪽

1) 채소 가격이 또 오른다니! 정말 걱정이네요

2) 학교 캠퍼스가 이렇게 아름답다니! 그동안은 전혀 몰랐네요

3) 무료 와이파이를 어디에서든지 쓸 수 있다니! 정말 편리하네요

4) 해리 씨의 건강이 회복되었다니! 정말 다행이네요

문법 | 3번 | 72쪽

[예시]

1) 내가 벌써 이렇게 나이가 들었다니! 기분이 이상하다

2) 안나 씨가 하루 종일 연락이 안된다니! 정말 걱정이다

3) 재민 씨가 벌써 한국에 돌아갔다니! 너무 아쉽다

4) 주노 씨가 다음 달에 회사를 그만둔다니! 너무 갑작스럽다

대화 속 문법 | 1번 | 73쪽

1) 올해에는 건강을 더 신경 쓰기를 바랍니다

2) 앞으로는 사고가 나지 않도록 조심하기를 바랍니다

3) 일도 좋지만 스트레스를 풀 수 있는 취미를 만들기를 바랍니다

4) 이번 기회에 서로를 더 잘 이해할 수 있게 되기를 바랍니다

5) 힘들어도 너무 쉽게 포기하지 않기를 바랍니다

대화 속 문법 | 2번 | 73쪽

[예시]

1) 올해 좋은 회사에 취직할 수 있기를 바랍니다

2) 이번에는 마음에 드는 사람을 만나기를 바랍니다

3) 올해 다양한 일에 도전해 보기를 바랍니다

4) 내년에 좋은 일이 많이 생기기를 바랍니다

1) 몸 둘 바를 모르겠다
2) 믿기지 않다
3) 시원섭섭하다
4) 마음이 설레다
5) 홀가분하다

어휘와 표현 | 2번 | 74쪽

1) 걱정이 앞서서
2) 꿈만 같았다
3) 눈물이 앞을 가렸다
4) 아쉽기도
5) 마음이 설렌다

듣고 말하기 | 1번 | 75쪽

1) 신인상을 받아서
2) 믿기지 않고 꿈만 같다. 정말 감사하다. 신인상은 앞으로 더 열심히
하라는 의미로 주신 거라고 생각한다. 앞으로 최선을 다하는 좋은
배우가 되겠다.

듣고 말하기 | 2번 | 75쪽

1) 저에게 이렇게 귀한 상을 주셔서 정말 감사합니다
2) 언젠가 나에게도 저 시상식에서 상을 받는 날이 올까
3) 제가 이렇게 상을 받다니! 정말 믿기지 않고 꿈만 같습니다
4) 좋은 선배님들과 함께 할 수 있어서 정말 행복했습니다
5) 최선을 다하는 좋은 배우가 되겠습니다

읽기 | 1번 | 76쪽

1) ③
2) ④

쓰기 | 1번 | 77쪽

[예시]

　나는 이번 여름에 한 달 동안 한국어, 한국 문화 연수 프로그램에 참
여했다. 나는 연수 프로그램을 갈까 말까 고민도 많이 했고, 한국에 도
착한 후에도 낯선 환경 때문에 한 달 동안 생활을 잘할 수 있을지 걱정
도 했다. 그렇지만 결과적으로 한 달 동안 즐겁게 생활하며 잊지 못할
경험을 쌓을 수 있었다. 특히 한강공원에서의 문화 체험이 가장 기억이
많이 남는다. 지금도 가끔 한국에서의 즐거웠던 기억이 떠올라서 기분
이 좋아진다.

쓰기 | 2번 | 77쪽

1) 이번 여름은 내 인생에서 잊지 못할 여름이 되었다
2) 한 달 동안 잘 지낼 수 있을까 걱정이 앞섰다
3) 친절한 선생님들 덕분에 그 걱정은 완전히 사라졌다
4) 한강공원에 간 것이 기억에 가장 많이 남는다
5) 가끔씩 한국에서의 즐거웠던 기억이 떠올라서 기분이 좋아진다

※ 이 교재는 산돌폰트 외 Ryu 고운한글돋움OTF, Ryu 고운한글바탕
OTF 등을 사용하여 제작되었습니다. Ryu 고운한글돋움OTF, Ryu 고운
한글바탕OTF 서체는 서체 디자이너 류양희 님에게서 제공 받았습니다.
※ 강승희, 곽명주, 박가을, 이재영, 정원교 작가와 함께 작업했습니다.

| 셔터스톡 |
스피커 아이콘
말풍선
연필 아이콘
1과 7쪽　　2과 13쪽　　3과 18쪽; 19쪽　　5과 30쪽　　6과 36쪽; 37쪽
7과 43쪽　　9과 54쪽; 55쪽　　10과 60쪽　　11과 67쪽　　12과 73쪽
부록 79쪽

세종한국어 | 익힘책 4B

문화체육관광부
국립국어원

(07511) 서울 강서구 금낭화로 154
전화: +82(0)2-2669-9775
전송: +82(0)2-2669-9747
홈페이지 http://www.korean.go.kr

기획·담당	박미영	국립국어원 학예연구사
	조 은	국립국어원 학예연구사
책임 집필	이정희	경희대학교 국제교육원 교수
공동 집필	최은지	원광디지털대학교 한국어문화학과 교수
	김금숙	상지대학교 한국어문화학과 조교수
	김민경	고려대학교 교양교육원 초빙교수
	김가람	전북대학교 교과교육연구소 연구교수
집필 보조	김민아	서울대학교 국어교육과 박사수료
	김지예	고려대학교 교양교육원 강사
	정성호	경희대학교 국어국문학과 박사수료
	서유리	경희대학교 국어국문학과 박사과정

초판 1쇄 인쇄	2022년 8월 15일
초판 1쇄 발행	2022년 9월 1일
	ISBN 978-89-97134-37-3 (14710)
	ISBN 978-89-97134-21-2 (세트)

출판·유통	공앤박 주식회사 (www.kongnpark.com)
	(05116) 서울시 광진구 광나루로56길 85,
	프라임센터 1518호
	전화: +82(0)2-565-1531
	전송: +82(0)2-3445-1080
	전자우편: info@kongnpark.com

총괄 | 공경용
책임 편집 | 이유진, 이진덕, 여인영
편집 | 김령희, 성수정, 최은정, 함소연
아트디렉팅 | 오진경
디자인 | 이종우, 서은아, 이승희
제작 | 공일석, 최진호
IT 지원 | 손대철, 김세훈
마케팅 | Sung A. Jung, Paulina Zolta, 윤성호